III.

»Nur wer zum realen gegenwärtigen Leben ein liebevolles Verhältnis hat, kann Dinge zum Guten verändern.«

MARIANNE BIRTHLER

Ein Glücksfall für unser Land: Angela Merkel und das jüdische Leben in Deutschland

Von Charlotte Knobloch

Historische Augenblicke hat die Israelitische Kultusgemeinde (IKG) München und Oberbayern in diesem noch jungen Jahrhundert schon zahlreich erlebt. Im Herbst 2003 begann 65 Jahre nach den Novemberpogromen mit der Grundsteinlegung der Bau der neuen Münchner Hauptsynagoge. Drei Jahre später konnten wir bereits Einweihung feiern, im Frühjahr 2007 kam das neue Gemeindezentrum nebst Jüdischem Museum dazu.

Jedes dieser Ereignisse war für sich genommen einmalig und unvergesslich, mithin: historisch. Und doch schaffte es ein einziger Tag im Februar 2008 noch, sie alle in den Schatten zu stellen. Damals wurde mir als Präsidentin der Kultusgemeinde die außergewöhnliche Ehre zuteil, Bundeskanzlerin Angela Merkel als Gast in unseren Räumlichkeiten zu begrüßen.

Es wurde ein Besuch, den bis heute niemand in unserer Gemeinde vergessen hat. Auch wenn die Sitze in der Hauptsynagoge zu diesem Zeitpunkt bereits eingesessen waren und sich im Gemeindezentrum ein gutes Jahr nach der Eröffnung niemand mehr verlief, gilt der 28. Februar 2008, an dem Angela Merkel das neue Jüdische Zentrum besuchte, vielen Gemeindmitgliedern noch immer als der eigentliche Abschluss unseres großen Bauprojekts.

Gemeinsam mit dem Präsidium der IKG fiel seinerzeit mir die Aufgabe zu, die Bundeskanzlerin auf einem Rundgang durch unsere Räumlichkeiten zu begleiten. Ich führte sie durch brandneue Klassenzimmer, durch Sitzungsräume mit atemberaubendem Altstadtblick und in einen der größten Multifunktionssäle der Münchner Innenstadt. Höhepunkt der Tour war aber der gemeinsame Gang in die Synagoge, die die Kanzlerin an diesem Tag zum ersten Mal besichtigte. Bis heute steht mir vor Augen, wie sie das Innenportal durchschritt und sichtlich beeindruckt in den lichtdurchfluteten Bau eintrat: In über drei Jahrzehnten an der Spitze der Gemeinde kann ich mich an kaum einen bewegenderen Augenblick erinnern. Frau Merkels Besuch an diesem Tag verstärkte entscheidend das Gefühl, das in der Gemeinde bereits seit der Grundsteinlegung im Jahr 2003 vorherrschte: das Gefühl, vollständig angekommen zu sein. Was hätte die neue alte Position im Herzen der Stadt und der Mitte der Gesellschaft schließlich besser unterstreichen können als der erste Besuch einer amtierenden Bundeskanzlerin in der IKG München?

Respekt

Auch für mich persönlich war das Datum mehr als eine protokollarische Besonderheit. Es war zugleich meine erste formelle Begegnung mit Angela Merkel, einer Frau, deren Werdegang und deren Standhaftigkeit mir seit Langem enorm imponiert hatten.

Diese Einstellung war zur damaligen Zeit nicht so selbstverständlich, wie sie heute anmutet. In Teilen der deutschen Öffentlichkeit herrschte in den frühen Jahren der Ära Merkel noch immer ein ausgeprägter Unglaube darüber, dass ausgerechnet sie es bis ganz an die Spitze geschafft hatte. Viele rieben sich verwundert die Augen: War Merkel, war »Kohls Mädchen« wirklich Kanzlerin?

Mir war diese Verwunderung, in der oft eine gewisse Geringschätzung mitschwang, von Anfang an fremd gewesen. Ich hatte Angela Merkel schon vor dem Februar 2008 mehrmals erlebt, am Rande verschiedener Termine in Bonn und später Berlin waren wir uns gelegentlich begegnet. Schon in den 1990er Jahren, als eine Bundeskanzlerin Merkel noch nicht einmal am Horizont auszumachen war, blieb mir die damalige Ministerin im Gedächtnis. Obwohl ihr als relativem Neuling in der Bundespolitik zunächst noch die Netzwerke und Erfahrungen gefehlt hatten, brachte sie doch bereits alles mit, was höhere Ämter später erfordern sollten: Zielstrebigkeit, Verbindlichkeit und eine bis heute unerreichte Fähigkeit, die Menschen in ihrer Umgebung wie ein offenes Buch zu lesen. Dass Angela Merkel dieses Land inzwischen 16 Jahre lang erfolgreich regiert hat, ist somit kein Zufall. Es ist die logische Konsequenz eines einzigartigen politischen Talents in Verbindung mit einer machtbewussten und zugleich wertegeleiteten Persönlichkeit.

Wie viele andere in meinem Freundes- und Bekanntenkreis nehme auch ich deshalb Angela Merkels Abschied aus dem Kanzleramt mit großem Bedauern auf. Von ihrer Integrität, ihrem Verantwortungsbewusstsein und ihrem Gemeinsinn hat unser Land über Jahre hinweg profitiert; ihr im Mai 2005 zur Nominierung als Spitzenkandidatin für die Bundestagswahl gegebenes Versprechen »Ich will Deutschland dienen« hat sie mehr als eingelöst.

Bei dieser Feststellung will ich es in Bezug auf die strikt politische Analyse belassen; Berufenere als ich können sich dieser Aufgabe annehmen. Meine ganz persönliche – und eben nicht durchweg politische – Bilanz der Jahre unter Angela Merkel möchte ich an dieser Stelle gleichwohl teilen.

Ein Ruhepol in unruhigen Zeiten

Ich formuliere meine Einschätzung dabei nicht in erster Linie als Repräsentantin des jüdischen Lebens in Deutschland, sondern zuvorderst als Bürgerin dieses Landes. In beiderlei Funktion, als Mitglied der jüdischen Gemeinschaft ebenso wie als Teil der Gesamtgesellschaft, bleibe ich Angela Merkel auch über das Ende ihrer Amtszeit hinaus in inniger Dankbarkeit verbunden. In 16 Jahren an der Spitze der Bundesregierung hat sie sich des politischen Tagesgeschäfts mit großem Erfolg angenommen; nicht allein das Was der Politik hat sie geprägt, auch das Wie. Wir alle sind ihr zu Dank verpflichtet für die von ihr beförderte und personifizierte politisch-gesellschaftliche Kultur des produktiven Atemholens.

Wie richtig diese zutiefst ausgeglichene Grundhaltung war, zeigt sich in der konstanten Aufgeregtheit der heutigen Zeit. Dass die Kanzlerin den Ruhepol in jeder noch so überhitzten Debatte markiert, ist auch unter ihren politischen Gegnern Konsens, ihre besonnene Art gab einer verunsicherten Gesellschaft mehr als einmal dringend benötigten Halt. Merkels kleine, aber stilprägenden Gesten mögen im Getöse des politischen Alltags zwar manchmal untergegangen sein, schufen aber auch unterhalb der Wahrnehmungsschwelle eine politische Kultur, von der wir alle noch lange profitieren werden: In einer Ära, da Lautstärke und Geschwindigkeit leicht die Oberhand über Substanz und Kontext eines Argumentes gewinnen, wirkte die Kanzlerin im besten Sinne wie aus der Zeit gefallen.

Diese Eigenschaft immunisierte Merkel, zu deren Amtsantritt Facebook noch in den Kinderschuhen steckte und Twitter noch nicht einmal gegründet war, auch gegen eine zum Selbstzweck gewordene politische Hektik und Atemlosigkeit, deren Vertreter die unerschütterliche Ruhe der Kanzlerin immer wieder als Rückständigkeit oder Fortschrittsskepsis fehldeuteten. Wo Kritiker sie als bedächtig schalten, war sie in Wirklichkeit schlicht bedacht, ein Wesenszug, der bei Spitzenpolitikern nie von Nachteil ist.

Exemplarisch für die oft hysterische Kritik stand ihre völlig zu Unrecht verdammte Charakterisierung des Internets als »Neuland«. Mit dieser Einschätzung sprach die Kanzlerin auch mir aus der Seele, und zwar nicht etwa, weil wir beide keine »digital natives« sind, sondern weil ihre Analyse schlicht den Fakten entsprach. Die hochkochende Empörung verdeckte in diesem wie in so vielen anderen Fällen, dass Frau Merkel nicht nur etwas Wahres, sondern auch etwas dauerhaft Wahres ausgesprochen hatte: Das Internet, so sagte sie zutreffend, sei nicht nur eine neuartige Herausforderung – Neuland eben – es »ermöglicht auch Feinden und Gegnern unserer demokratischen Grundordnung [...], mit völlig neuen Möglichkeiten und völlig neuen Herangehensweisen unsere Art zu leben in Gefahr zu bringen«. Das war für das Jahr 2013 ein ausgesprochen hellsichtiger Satz.

Solche Beispiele zeigen, dass Angela Merkel sehr wohl über ein präzises Gespür für Chancen und Risiken politischer Schritte und gesellschaftlicher Entwicklungen verfügt. Dass das Internet sich als Lebensader einer vernetzten Wirtschafts- und Bildungswelt ebenso eignen würde wie als Petrischale für eine kaum zu kontrollierende digitale Unterwelt, erkannte sie, lange bevor die manifeste Bedrohung der Demokratie durch Hacker, Trolle und andere Plagen des Onlinezeitalters in der breiten Öffentlichkeit ankam und bevor virtuell aufgestachelte Mobs zum Sturm auf reale Regierungsgebäude ansetzten.

Es ist Angela Merkel gerade vor diesem Hintergrund auch hoch anzurechnen, dass sie den vom Internet potenzierten gesellschaftlichen Verwerfungen so beharrlich und standhaft Paroli geboten hat. Den Ausdrucksformen von Hass, die aus den Untiefen des Netzes in die politische Realität unseres Landes einsickerten, widerstand sie nicht allein in ihrer Politik. Als mindestens ebenso wirkmächtig erwies sich ihre subtile Weigerung, nach den verzerrten Diskursregeln derjenigen zu spielen, die für sich fälschlich in Anspruch nehmen, »das Volk« zu vertreten oder gar, in vollendeter Hybris, es gleich zu sein. Merkel selbst bemerkte dazu 2016 treffend: »Ich bin genauso das Volk, wie andere das Volk sind.«

Der AfD als Partei gewordener Absage an die Anstandsregeln unserer Demokratie gab sie über Jahre genau so viel, wie gesetzlich und politisch angezeigt war – und kein Jota mehr. Diesem neuen politischen Epizentrum des Hasses nicht entgegengekommen zu sein und seinen teils wutschäumenden Abgeordneten durch demonstrative Höflichkeit und Ruhe immer wieder den Schneid abgekauft zu haben, zählt aus meiner Sicht zu den größten persönlichen Leistungen von Merkels Kanzlerschaft. Dass sie infolge ihrer zutiefst humanitären Haltung im Zuge der Flüchtlingskrise im September 2015 selbst zum Hassobjekt der Rechtsextremen und zur Zielscheibe von Beleidigungen und sogar Morddrohungen geworden war, bewies für mich neben der erschreckenden Verrohung des gesellschaftlichen Klimas vor allem die Intaktheit ihres moralischen Kompasses. Sie verstand, dass Politik zwar mit Bismarck gesprochen die »Kunst des

Möglichen« ist, dass aber die Kunst des Politikers durchaus auch darin bestehen muss, Dinge möglich zu machen. Nur wer über den Tag hinausblickt, kann auch etwas hinterlassen.

Für Schutz und Entfaltung jüdischen Lebens

All das bringt mich zur Beurteilung der Ära Merkel aus Sicht der jüdischen Gemeinschaft, für die die vergangenen 16 Jahre eine außerordentlich gute und konstruktive Zeit waren. Diese Einschätzung fußt nicht allein auf der deutlichen, von den verschiedenen Merkel-Regierungen stets auch finanziell nachdrücklich unterstützten Konsolidierung des jüdischen Lebens in Deutschland über die vergangenen 16 Jahre. Sie bezieht auch ein, in welch enormem Ausmaß die Bundeskanzlerin dazu beigetragen hat, das jüdische Leben in Deutschland und darüber hinaus auf eine neue Grundlage zu stellen. Das umfasst die jüdisch-deutsche Infrastruktur im Inland, aber auch den Einsatz für die Gedenkkultur und den weiteren Ausbau der deutsch-israelischen Freundschaft.

All das mag auch erklären, warum Angela Merkel sowohl die Ohel-Jakob-Medaille in Gold der Münchner Kultusgemeinde als auch den Leo-Baeck-Preis des Zentralrats der Juden in Deutschland sowie den Theodor-Herzl-Preis des Jüdischen Weltkongresses (WJC) erhalten hat. Mit diesen Preisen, die sich in eine weit längere Liste anderer Ehrungen einreihen, würdigte die jüdische Gemeinschaft Merkels Eintreten für jüdisches Leben und gegen jeden Judenhass – ausdrücklich auch denjenigen, der sich in den Mantel einer vorgeblichen »Israelkritik« kleidete. Um die historische Bedeutung ihrer Kanzlerschaft zu erkennen, muss man nicht einmal das berühmte Diktum aus der Knesset-Rede von 2008 bemühen, nach dem Israels Sicherheit Teil der deutschen Staatsräson sei. Es waren über die Jahre auch ganz handfeste Schritte zu Schutz und Entfaltung des jüdischen Lebens, die in der jüdischen Gemeinschaft bis heute sehr präsent sind, auch wenn sie in der kollektiven Erinnerung der nichtjüdischen Mehrheitsgesellschaft keine Rolle mehr spielen. Wer denkt beispielsweise noch an die zahlreichen Projekte jüdischer Gemeinden und Einrichtungen, die über die Jahre mit staatlicher Unterstützung möglich gemacht wurden – vom spektakulären Synagogenneubau bis hin zur erfolgreichen Integrationsabteilung für die Zuwanderer aus Osteuropa? Wer wüsste noch, dass es die Kanzlerin war, die im Jahr 2012 die unsägliche Beschneidungsdebatte mit einem entschlossenen Eintreten für das Recht auf freie Ausübung der jüdischen Religion beendete und auch den Bundestag von einem entsprechenden Gesetzesentwurf überzeugte? Und schließlich: Wer könnte vergessen, dass es vor allem Angela Merkel war, die unser Land bei allen Schwierigkeiten und Herausforderungen mit ruhiger Hand durch die Coronapandemie geführt hat, in deren verschwörungsideologischem Gefolge leider auch der Judenhass mit Macht hervorgebrochen ist? Wie neidvoll manch anderes Land gerade zu Beginn der Pandemie auf die Politik einer auf Basis der Fakten handelnden Kanzlerin blickte, zeigte ein weiteres Mal, dass die richtige Person am Ruder des Staatsschiffs stand.

Auch dieser Eindruck war in der jüdischen Gemeinschaft stark ausgeprägt, die bestimmte Exzesse der Pandemiezeit besonders alarmiert verfolgte und dankbar war, dass in den letzten Jahren legislativ wie polizeilich härter gegen Hass im Netz und gewaltbereite Extremisten durchgegriffen wurde. So mochte der versuchte »Sturm« Rechtsextremer auf den Reichstag im August 2020 die demokratische Mitte schockiert haben; für jüdische Menschen war er allerdings weniger abstrakte Bedrohung der Demokratie als konkrete Erinnerung an Gewaltexzesse wie in Halle (Saale) im Jahr zuvor. Auch hier passt es ins Bild, dass Angela Merkel für den Teil der Anti-Corona-Protestler, der nur nach Projektionsflächen für den eigenen Hass auf den demokratischen Staat suchte, erneut zur Hauptzielscheibe von Verachtung und Gewaltfantasien wurde.

»Hüterin der Zivilisation«

Elf Jahre nach ihrem ersten Besuch im jüdischen Gemeindezentrum und drei Jahre nach der Verleihung der Ohel-Jakob-Medaille durfte ich Angela Merkel Ende Oktober 2019 noch einmal als Gast in München begrüßen. Der Jüdische Weltkongress hatte unsere Kultusgemeinde als Ort für die Verleihung des schon erwähnten Theodor-Herzl-Preises bestimmt, der höchsten Auszeichnung, die der WJC vergibt. Auch unser größter Festsaal konnte an diesem Abend die Vielzahl der Ehrengäste kaum fassen, Stadträte und Abgeordnete waren gekommen, ebenso der Oberbürgermeister und der Ministerpräsident sowie natürlich zahlreiche Gemeindemitglieder und Vertreter der jüdischen Gemeinschaften Münchens, Deutschlands und aus aller Welt.

Wenige Wochen nach dem Anschlag von Halle war die Stimmung zwar feierlich, aber nicht ungetrübt. Zugleich erschien es in diesem Kontext besonders angezeigt, mit der Bundeskanzlerin eine Politikerin zu ehren, der der Kampf gegen Judenhass seit jeher ein besonderes Anliegen gewesen war. WJC-Präsident Ronald Lauder sprach mir deshalb aus dem Herzen, als er Angela Merkel »einen Damm gegen Instabilität, einen Damm gegen Irrationalität, einen Damm gegen Extremismus, einen Damm gegen Hass, einen Damm gegen Rassismus, einen Damm gegen Antisemitismus« nannte. Die Kanzlerin stehe »symbolhaft für alles Gute im Deutschland der Nachkriegszeit« und sei eine »Hüterin der Zivilisation«.

Anderthalb Jahre später und wenige Monate vor der Bundestagswahl, die das Ende ihrer Regierungszeit bedeuten wird, haben diese Worte über Angela Merkel für mich nichts an Strahlkraft und Aktualität verloren. Deutschland ist im Frühjahr 2021 fraglos ein anderes Land als im November 2005; vieles ist besser geworden, manch ungelöste Herausforderung bleibt. Die Übergabe des Staffelstabs gehört zum Wesen der Demokratie, und trotzdem: Der Abschied von einer Bundeskanzlerin Angela Merkel fällt nicht leicht. Stabilität und Verlässlichkeit, ein belastbares Wertegerüst, ein Gespür für Menschen und ein Blick, der jederzeit über den Tellerrand reichte: All diese Qualitäten, die die Ära Merkel prägten, werden in ihrer Kombination auch von den fähigsten Nachfolgern nur schwer zu replizieren sein. Die jüdische Gemeinschaft und unser Gemeinwesen insgesamt verlieren mit ihr eine außerordentliche Persönlichkeit und eine prägende Kraft im Bundeskanzleramt. Nur halb im Scherz habe ich auf entsprechende Fragen in Interviews oder im Bekanntenkreis zuletzt antworten müssen, Merkel solle zur Wahl einfach noch einmal antreten, vier weitere Jahre unter ihrer Ägide würden dem Land mit Sicherheit nicht schaden. Da dies aber nicht geschehen wird und auch Angela Merkel sich einen politischen Ruhestand mehr als verdient hat, bleiben zum Abschied Wehmut, Dankbarkeit und tiefster Respekt vor einer herausragenden Lebensleistung. Es bleibt die Freude darüber, die vergangenen 16 Jahre miterlebt und mitgestaltet zu haben, und es bleibt die Zuversicht, dass die Bundeskanzlerin Angela Merkel auch nach ihrem Ausscheiden aus dem Amt als das anerkannt wird, was sie ist: ein großes Glück für unser Land.

Zwischenzustände:
Die Physik von Angela Merkels Chinapolitik

Von Martin Brudermüller

Merkel und China – das ist eine besondere Geschichte. Über 16 Jahre hinweg hat Bundeskanzlerin Angela Merkel die Beziehungen Deutschlands zu einem immer stärker werdenden China gestaltet. Keiner ihrer westlichen Peers war so häufig in China wie Bundeskanzlerin Merkel, keiner hat so viele verschiedene Provinzen besucht. Damit hat Merkel sich ein Vertrauen und eine Wertschätzung ihrer chinesischen Gesprächs- und Verhandlungspartner verdient wie keiner der westlichen Staatschefs. Hier zeigt sich die Physikerin, die sich mit Anziehungskräften auskennt. Es braucht starke Bindungen für stabile Beziehungen. Diese über 16 Jahre zu erhalten und zu stärken, ist angesichts eines sich so dynamisch entwickelnden Landes wie China eine wahre Meisterleistung.

Die Kräfte des modernen Drachen:
Vom Entwicklungsland zur Supermacht

Die 1980er Jahre markieren den Beginn einer historisch einzigartigen Entwicklungsgeschichte eines Landes. Ausgangspunkt war eine Wirtschaft, deren Bruttoinlandsprodukt (BIP) pro Kopf bei lediglich drei Prozent des deutschen BIP pro Kopf lag. Mit der Öffnung der Wirtschaft durch Deng Xiaoping, der Einrichtung der ersten Sonderwirtschaftszonen und der fortschreitenden Privatisierung der Industrie beginnt der dynamische Wachstumspfad Chinas. Heute beträgt das chinesische BIP pro Kopf 22 Prozent des deutschen.

Den entscheidenden Schub erhält der wirtschaftliche Aufholprozess mit dem Beitritt Chinas zur Welthandelsorganisation WTO im Jahr 2001. Die chinesischen Staatsunternehmen müssen sich anpassen, verschlanken, auch die Landwirtschaft modernisiert sich, weil sie durch die Senkung von Importzöllen unter Druck geraten war. Gleichzeitig beginnt die intensive Verflechtung Chinas mit den globalen Wertschöpfungsketten.

Trotz der schnell steigenden Anteile Chinas am globalen Warenhandel sehen die westlichen Staaten das Land zunächst nicht als Konkurrenten. Sie erzielen große Teile ihrer Wertschöpfung weiterhin außerhalb Chinas, da in China vor allem importierte Komponenten zum Endprodukt montiert oder Konsumgüter mit geringer Wertschöpfung hergestellt und exportiert wurden. Das Land war die »Werkbank der Welt«.

Die Wirtschaftsbeziehungen zwischen den beiden Ländern vertiefen sich. Besonders gefragt sind in China die Investitionsgüter des deutschen Maschinenbaus und Autos »Made in Germany«. Vor allem die zahlungskräftige Mittel- und Oberschicht der chinesischen Ostküste sorgt für die stark steigenden Absatzzahlen der deutschen Automobilhersteller.

So klettern die deutschen Exportanteile nach China im Verlauf der Regierungszeit Merkels von weniger als drei Prozent 2005 auf acht Prozent 2020. China ist damit auf dem Weg, die USA als wichtigstes Ziel deutscher Ausfuhren zu überholen.

Nach Analysen des Instituts der Deutschen Wirtschaft gehen acht Prozent des nominalen Wirtschaftswachstums Deutschlands zwischen 2005 und 2015 auf die Exporte deutscher Unternehmen nach China zurück. Gleichzeitig steigen die Verbraucherpreise in den etablierten Industrieländern durch die hohen Anteile importierter chinesischer Konsumgüter nur moderat.

Die wachsenden bilateralen Handelsvolumina spiegeln jedoch nur einen Teil der zunehmenden wirtschaftlichen Verflechtung zwischen beiden Ländern wider. Auch die Direktinvestitionen deutscher Unternehmen in China sind mit insgesamt 76 Milliarden Euro im Zeitraum 2005 bis 2019 beträchtlich. Getrieben sind diese Investitionen im Industriebereich in den letzten Jahren durch die Wachstumsdynamik Chinas – die Devise heißt »hin zum Markt«.

Allerdings steigt der Konkurrenzdruck, insbesondere in den Technologiebranchen. China hat sich mit der Strategie »Made in China 2025« zum Ziel gesetzt, die Arbeitsproduktivität und den Anteil der heimischen Wertschöpfung deutlich zu erhöhen und die Entwicklung von Hochtechnologie in zehn Schlüsselindustrien voranzutreiben, allesamt auch Hochtechnologiesektoren der deutschen Industrie.

Im Rahmen des gerade verabschiedeten 14. Fünfjahresplans wird diese Strategie mit dem Konzept der »Zwei Kreisläufe« weiterentwickelt. China will sich von ausländischen Technologieimporten unabhängig machen. Auf der einen Seite soll der heimische Konsum gefördert, auf der anderen Seite die globale Wettbewerbsposition der einheimischen Technologiebranchen gestärkt werden. In deutschen Leitindustrien wie dem Maschinenbau, der Elektrotechnik und der Automobilindustrie ist daher eine weitere deutliche Intensivierung des Wettbewerbs mit China zu erwarten.

Von der Werkbank der Welt zur technologischen Supermacht – China hat eine unvergleichliche Entwicklung durchlaufen. Für jede Regierung auf der Welt ist dies eine unvergleichliche Herausforderung – die Gestaltung der Beziehungen ihres Landes zu diesem sich so dynamisch verändernden China. Niemand hat diese Herkulesaufgabe so lange wahrgenommen wie Bundeskanzlerin Merkel.

Das Gleichgewicht des »Win-win« (2005–2012)

Die ersten Jahre der Regierungszeit Merkel sind von der Suche nach der richtigen Balance der deutsch-chinesischen Beziehungen bestimmt. Die Vorgängerregierungen Kohl und Schröder waren vor allem an guten Wirtschaftsbeziehungen interessiert, hatten früh die Chancen erkannt, die in dem aufstrebenden Reich für die Exportnation Deutschland lagen.

Angela Merkel wählt zunächst einen etwas anderen Weg. Sie setzt in ihrer ersten Regierungszeit auf eine stärkere Gewichtung der Werte in ihrer Außenpolitik. Vielleicht auch aus ihrer eigenen Biografie heraus will sie die Kräfte unterstützen, die das autokratische China herausfordern und einen kritischen Dialog mit der Kommunistischen Partei suchen. Anders als ihr Vorgänger Gerhard Schröder hat Merkel in ihren ersten Regierungsjahren die Menschenrechtssituation in China offen kritisiert. 2007 – nicht lange nach ihrem zweiten Chinabesuch – empfängt Kanzlerin Merkel den Dalai Lama im Kanzleramt. Dies sieht China als Affront, aber schon 2008 ist die kurze Eiszeit wieder beendet. Merkels dritter Chinabesuch wird protokollarisch etwas heruntergestuft – ansonsten herrscht schnell wieder Schönwetter. Schließlich sind die guten Wirtschaftsbeziehungen für beide Länder wichtig.

Es wäre aber zu kurz gegriffen, ihre Reisen nur vor diesem wirtschaftlichen Hintergrund zu betrachten. Merkel äußert sich in China mehrfach und gezielt zu politisch-strategischen Fragen, etwa in Reden vor der Akademie der Sozialwissenschaften oder in einer Diskussion mit KP-Nachwuchskadern in der Parteihochschule. Besonders in den ersten Jahren spricht die Hoffnung aus ihr, dass sich China auf einem politischen Öffnungsweg befinden könnte. »Wandel durch Handel« war nicht nur ein Schlagwort. Mehrfach betont Merkel, dass die aufstrebende Nation China vor allem dann Erfolg haben werde, wenn Wirtschaftsreformen von sozialen und irgendwann auch politischen Reformen begleitet würden. Sie setzt auf die Entwicklung einer Zivilgesellschaft in China. Und darauf, dass Innovation und Kreativität sich nur in einem politisch freieren System entwickeln können. Das Deutsch-Chinesische Dialogforum wirkt in diesem Geiste, bringt Vertreter aus allen Teilen der Gesellschaft beider Länder zu einem Dialog über gesellschaftliche Themen zusammen.

Dann kommt die Finanzkrise – ein Einschnitt in den Beziehungen Deutschlands und Europas zu China. Deutsche Technik, Autos und Maschinenbau sind zwar nach wie vor gefragt, aber das

Kräfteverhältnis verändert sich. China nutzt die Krise, um stärker in den Euro und europäische Infrastruktur zu investieren. Deutschland wird zum ersten Mal vor Augen geführt, dass es in einer globalisierten Welt auch eine Abhängigkeit von China gibt.

Die Chinapolitik Merkels setzt daher verstärkt darauf, China in die internationale Verantwortung einzubeziehen. Gleichzeitig rücken Deutschland und China diplomatisch enger zusammen. 2010 vereinbaren die beiden Staaten eine »strategische Partnerschaft« und regelmäßige Regierungskonsultationen. Dazu gehören auch weiterhin der Rechtsstaats- und der Menschenrechtsdialog. Nicht nur in der Wirtschaft, auch in den Bereichen Kultur und Gesellschaft, in den politischen Beziehungen und beim Klima- und Umweltschutz wollen die beiden Länder künftig stärker zusammenarbeiten. Deutschland und China wollen einen verstärkten Austausch auf jeder Ebene – Schüler, Studierende, Kulturschaffende. Die beiden Länder sollen sich besser kennenlernen.

Persönliche Beziehungen spielen in der Politik naturgemäß eine wichtige Rolle. In der Kultur Chinas ist das persönliche Netzwerk aber von besonderer Bedeutung. Kanzlerin Merkel setzt darauf und baut ein sehr enges Vertrauensverhältnis zum damaligen Ministerpräsidenten Wen Jiabao auf, das von gegenseitigem Respekt und Wertschätzung gekennzeichnet ist. Ihren 56. Geburtstag feiert Kanzlerin Merkel 2010 in Xi'an – und wünscht sich von China ein Abendessen mit Bürgermeistern. Daraus wird laut begleitenden Pressevertretern eine offene Diskussion über die Schwierigkeiten des rasanten Städtewachstums: Umwelt- und Luftverschmutzung, der explodierende Verkehr und ein Mangel an attraktiven Berufsangeboten für die hochgebildete junge Generation. Das sind Momente, die die Hoffnung auf eine – wenn auch langsame – politische Öffnung Chinas weiter nähren.

Die Kanzlerin sieht im rasanten wirtschaftlichen Aufstieg Chinas eine große Chance, beschreibt sie selbst als »Win-win-Situation«. Deutschland profitiert von der Stärke seiner Exportwirtschaft auf dem chinesischen Markt, und die deutsch-chinesischen Wirtschaftsbeziehungen verflechten sich jedes Jahr stärker. Gleichzeitig verfolgt die Kanzlerin den Weg der »stillen Diplomatie« beim Thema Menschenrechte. Das sei zu wenig, sagen ihre Kritiker. Merkel mache es der chinesischen Staatsführung damit zu einfach. Aber sie spricht – anders als viele ihrer westlichen Kollegen – kritische Themen bei ihren Besuchen an und führt Gespräche mit Vertretern der chinesischen Zivilgesellschaft – nur eben hinter verschlossenen Türen.

Das Umfeld dafür wird allerdings zunehmend schwieriger.

Die Rekalibrierung der Beziehungen (2013–2021)

Viele westliche Beobachter erwarten, dass das neue Führungsduo Xi Jinping und Li Keqiang den Öffnungsprozess Chinas weiter vorantreiben, politische Reformen anfassen und die Staatswirtschaft liberalisieren wird.

Der neue Staatspräsident Xi Jinping bringt China jedoch auf einen anderen Kurs. Das erhoffte Aufblühen der chinesischen Zivilgesellschaft kommt zum Stillstand, westliche Werte werden als »Irrlehre« deklariert. Die Staatsunternehmen gewinnen wieder an Bedeutung, sie sind für die Staatswirtschaft ein wichtiges Machtinstrument. Wirtschaftliche Reformen stehen unter der Prämisse, dass die Partei die Kontrolle behalten muss.

Was bedeutet das für die deutsch-chinesischen Beziehungen? Keine globale Frage ist mehr ohne China zu lösen. China ist eine Großmacht, wird bei internationalen Konfliktlösungen gebraucht, ob in Syrien, Afghanistan, der Ukraine, Nordkorea oder beim Nuklearabkommen mit dem Iran. Auch die weltweiten Klimaziele lassen sich ohne China nicht erreichen. Und der deutsche Wohlstand basiert zu Teilen auf den engen Wirtschaftsbeziehungen zwischen den beiden Ländern. Also müssen die deutsch-chinesischen Beziehungen weiter vertieft werden, um China eng in die multilaterale Staatengemeinschaft einzubinden.

Bei Xi Jinpings erstem Deutschlandbesuch 2014 wird die bisherige »strategische Partnerschaft« zu einer »umfassenden strategischen

Partnerschaft« aufgewertet. Das Ziel ist eine »Innovationspartner-schaft« – vor allem in den Bereichen Industrialisierung, Digitalisie-rung, Verkehr, E-Mobilität und Energieeffizienz. Chinas Interesse ist dabei vor allem auf den Zugang zu Innovationen in den Bereichen Technologie, Forschung und Wissenschaft gerichtet. Deutschland erhofft sich eine Öffnung im rechts- und sozialstaatlichen Bereich. Ein neu gegründeter Deutsch-Chinesischer Beratender Wirtschafts-ausschuss soll den direkten Austausch zwischen den Regierungs- und Unternehmenschefs beider Länder intensivieren. Ein Jahr später je-doch veröffentlicht China seine »Made in China«-Strategie, die in wesentlichen Feldern deutscher industrieller Stärken auf eine globale Führungsposition chinesischer Unternehmen abzielt. Ein Weckruf für Deutschland.

Doch die Aufmerksamkeit Deutschlands und Europas ist in den Jahren 2015 und 2016 vor allem auf die Flüchtlingskrise gerichtet. China nutzt dies für einen weiteren Ausbau seiner geostrategischen Position. Die bereits 2013 gegründete »Neue Seidenstraße« (Belt and Road-Initiative) gewinnt an Kontur. Durch Infrastrukturpro-jekte und die Intensivierung des Handels versucht China, die Bezie-hungen zu den Ländern Eurasiens zu intensivieren.

Deutschland und Europa geraten China gegenüber in eine stra-tegische Defensive. Eine einheitliche EU-Strategie für die Beziehun-gen zu China fehlt. Kanzlerin Merkel erkennt das und verweist auf den Vorteil einer langfristigen strategischen Politik, die in langen Zeiträumen denkt – so wie China das tut. »Das geht uns ab«, sagt sie 2015.

Stattdessen sieht sich Merkel dem Vorwurf ausgesetzt, sie betreibe Chinapolitik ausschließlich für deutsche Unternehmen. In der Tat verliert der zivilgesellschaftliche Austausch an Bedeutung. Doch diese Kritik greift zu kurz. Das Spielfeld wird durch die Realitäten defi-niert: Deutschland und Europa haben außer ihrer Wirtschaftspoli-tik keine wirksamen strategischen Instrumente für ihre Chinapolitik. Während die USA auf der gesamten Klaviatur einer Großmacht spie-len kann, inklusive der Sicherheitspolitik, bleibt Europa nur der

Hebel seiner Wirtschafts- und Technologiepolitik. Ein Hebel, dessen Einsatz im eigenen Interesse allerdings begrenzt ist.

Kanzlerin Merkel bleibt folgerichtig bei ihrer Linie der Balance – aber es ist zunehmend ein Kampf um das Machbare. Sie setzt sich wieder und wieder für faire Wettbewerbsbedingungen ein und führt den zu Zeiten europäischer Überlegenheit verpönten Begriff der Reziprozität ein. Was chinesische Unternehmen in Europa können und dürfen, sollte auch europäischen Unternehmen in China zugebilligt werden.

Was einfach und logisch klingt, ist ein mühsamer Kampf. Die Zugeständnisse, die Peking macht, sind häufig unzureichend oder werden erst dann umgesetzt, wenn die eigene Position gefestigt ist. Diese klassische Entwicklungsstrategie zum Aufbau eigener junger Industrien in China zeigt ihren Erfolg. In einigen Bereichen ist die chinesische Wirtschaft der deutschen und europäischen inzwischen enteilt. Digitalisierung, Big Data, Tech-Konzerne: Bei ihrer elften Chinareise besucht die Kanzlerin 2018 die südchinesische Metropole Shenzhen – und staunt.

Die Erkenntnis, dass China in vielerlei Hinsicht zu einem Giganten gewachsen ist, führt schließlich zur Rekalibrierung des Verhältnisses. Im März 2019 veröffentlicht die EU-Kommission einen strategischen Ausblick zu den EU-China-Beziehungen und charakterisiert China gleichzeitig als Kooperationspartner, wirtschaftlichen Wettbewerber und systemischen Rivalen.

Eine deutlichere Bestätigung ihrer Chinapolitik hätte es für Bundeskanzlerin Merkel nicht geben können. Denn über ihre 16-jährige Regierungszeit hinweg hat sich Kanzlerin Merkel gegen ein vereinfachendes Entweder-oder gestellt. Sie ist nie vor der Schwierigkeit zurückgeschreckt, immer wieder die richtige Balance in den Beziehungen zu einem Land zu finden, das viele Zustände hat. Dennoch – oder gerade deshalb – zollen ihr die Chinesen größten Respekt. Kein anderer Staatschef genießt in China ein vergleichbares Vertrauen und wird als ähnlich verlässlicher Gesprächspartner gesehen. Das ist die hohe Kunst der Politik.

Das Ende ihrer Regierungszeit markiert daher einen doppelten Bruch. Neue persönliche Bindungen zwischen den Regierungsspitzen müssen aufgebaut werden. Und die Balance der Beziehungen zu dem globalen Schwergewicht China muss neu gefunden werden.

Der Quanteneffekt der Herausforderung

Erst die kommende Dekade wird zeigen, ob China tatsächlich ein vollkommen neues, dem westlich-liberalen System diametral entgegenstehendes Gesellschafts- und Wirtschaftsmodell erfolgreich umsetzen kann. Die inneren Herausforderungen und Brüche des Reichs der Mitte sind zahlreich und groß. Wenn Bundeskanzlerin Merkel die Regierungsverantwortung an die nächste Bundesregierung übergibt, wird die Gestaltung der Beziehungen zur Weltmacht China zum Dreh- und Angelpunkt der gesamten außenpolitischen Ausrichtung Deutschlands.

Grundlage für die Chinapolitik ist die Stärke Europas. Dafür muss Europa zuallererst das eigene Haus modernisieren. Eine erfolgreiche Chinapolitik braucht eine grundlegende EU-Innovationsoffensive, verbunden mit der Stärkung des EU-Binnenmarktes. Mit dem Green Deal hat sich Europa sehr ambitionierte Ziele gesetzt, denn es hat erkannt, dass nur eine nachhaltig ausgerichtete Wirtschaft langfristig wettbewerbsfähig sein kann. Europa hat dagegen noch zu wenig erkannt, dass Nachhaltigkeit nicht allein durch Ziele, sondern vor allem auf Basis von neuen Technologien, Innovationen und einer starken Wirtschaft erreicht werden kann.

Stärke ist aber nicht nur der Schlüssel für das Verhältnis zu China, sondern die Grundlage für Europas Bestehen in der neuen geopolitischen Lage. Auch für die USA ist Europa nur als starker Partner interessant. Mit seinen Werten ist Europa klar im Westen verankert. Daraus erfolgt jedoch keine vollkommene Deckungsgleichheit in Bezug auf die Interessen. Europa, als Teil des eurasischen Kontinents, kann nicht an einer neuen Blockbildung gelegen sein. Eine völlige Entkopplung vom größten Markt der Welt, der eine zunehmende Innovationsdynamik zeigt, würde Europa schwächen.

Diese Gratwanderung ist die Grundlage der Chinapolitik Merkels. Eine solche wertebasierte Interessenpolitik muss auch Grundlage der Chinapolitik für die zweite Dekade des 21. Jahrhunderts sein.

Die neue Bundesregierung wird ihren eigenen Weg finden müssen, wie sie dies umsetzt. Dabei wird sie neue Akzente setzen müssen – denn die Welt ist heute eine andere als 2005. Nur ein starkes Europa kann den Wertekanon der VN-Charta leben und verteidigen. Und Stärke wächst mit einer interessenbasierten Zusammenarbeit mit China.

Bundeskanzlerin Merkel hat über die 16 Jahre ihrer Regierungszeit ihre Balance für den Umgang mit einem Land gefunden, das gleichzeitig drei Erscheinungsformen hat: Partner, Wettbewerber und systemischer Gegner. Der Physikerin Merkel ist der Umgang mit unbestimmten oder gleichzeitigen Zuständen vertraut. Für sie ist es nicht ungewöhnlich, dass die Beziehungen Deutschlands zu China nicht rein digital sein können: 0 oder 1. Es braucht die Zwischentöne – oder in der Sprache der Physik, den Zwischenzustand. Während Bits lediglich das Entweder-oder von 0 oder 1 darstellen, können die Quantenbits oder Qubits jeden Zustand von 0 bis 1 einnehmen. Wer die Zwischenzustände beherrscht, hat die Chance auf die enorme Leistungsfähigkeit eines Quantencomputers. Wie gut, dass die Grundlage für eine leistungsfähige Chinapolitik von einer Physikerin definiert wurde!

Das Bekenntnis und die Fähigkeit zum Ausgleich

Von Nicola Leibinger-Kammüller

I.

»Wer aus Friesack kommt, der darf nicht Raoul heißen.« So unnachahmlich steht es in Fontanes »Stechlin«. Denn: »Was ein Märkischer ist, der muß Joachim heißen oder Woldemar. Bleib im Lande und taufe dich redlich.«

Heute würde ein Roman aus Brandenburg vielleicht andere Namen erfinden. Ansonsten erscheint der Zusammenhang aus Herkunft und Wesen eines Menschen auch nach fast zwei Jahrhunderten als nicht von der Hand zu weisen.

Wenn ich darüber nachdenke, was mir an Angela Merkel über ihre politischen Leistungen hinaus immer am meisten imponierte, dann sind es neben ihrem wachen Geist Eigenschaften, die womöglich zu Orten ihres Großwerdens passen. Ruhe, Bescheidenheit, Pragmatismus, Bodenständigkeit – auch wenn sie eine Weltbürgerin ist, »Person of the Year« im *Time Magazine*, die seit zwei Jahrzehnten so souverän wie kaum jemand sonst mit Staats- und Regierungschefs umgeht und diesbezüglich viel für das Deutschlandbild getan hat. Zumal in einer Epoche, in der an Exzentrikern auf der politischen Weltbühne von Rom bis Washington kein Mangel war. Aber vielleicht gerade deshalb.

Nun ist Templin nicht das nordwestlich von Berlin gelegene Friesack, das weiß man auch in Schwaben. Statt im Havelland auf halber Strecke nach Hamburg, liegt es in der Norduckermark.

Also in etwa dort, wo heute Juli Zehs »Unterleuten« angesiedelt ist, Schauplatz von Reibungen zwischen Gebliebenen und Hinzugezogenen, zumeist aus Berlin, es geht um die Schattenseiten der Windkraft und der Biomasse-Verstromung, einer Energiewende als staatlich geförderter Anlagemöglichkeit nach dem Beschluss zum Ausstieg aus der Atomenergie 2011 – auch so ein Angela-Merkel-Thema. Es war nie mein Angela-Merkel-Thema.

Die Landschaft des »Stechlin« grenzt allerdings auffällig an jenen Landstrich, in dem Angela Merkel aufwuchs. »Im Norden der Grafschaft Ruppin, hart an der mecklenburgischen Grenze, zieht sich von dem Städtchen Gransee bis nach Rheinsberg hin (und noch darüber hinaus) eine mehrere Meilen lange Seenkette durch eine menschenarme, nur hie und da mit ein paar Dörfern, sonst aber ausschließlich mit Förstereien, Glas- und Teeröfen besetzte Waldung.«

Vielleicht ist es ein dem Abschied einer politischen Ära geschuldeter Schuss Sentimentalität zu glauben, dass Landschaften den Charakter formen. Wahrscheinlich sind es heute mehr denn je Globalisierung, Informationen, soziale Bewegungen und nicht so sehr die Milieus der Kindheit und Jugend. Aber ganz auszuschließen ist es auch nicht. So waren es bei Angela Merkel zwar nicht mehr die Glas- und Teeröfen wie bei Fontane, sondern das erste Kernkraftwerk der DDR in Rheinsberg am Fuße des idyllischen Stechlinsees. Gegründet auf den »Kontrakt 903«, ein Regierungsabkommen zwischen der DDR und der Sowjetunion aus dem Jahr 1956, war das Kraftwerk ein technisches Fortschrittsversprechen des Sozialismus, fußend auf der modernen Physik und dem Glauben an eine bahnbrechende Stromversorgung, gebaut inmitten einer vom Menschen weitgehend unberührte Naturlandschaft der einstigen Junker und Adeligen. Zwei Determinanten einer später ebenso zur Naturwissenschaft wie zu den Themen der Nachhaltigkeit begabten Frau.

II.

Viel ist über die Herkunft Angela Merkels geschrieben und orakelt worden; nicht immer nur Wertschätzendes, was die vermeintlich skeptische Einstellung zu Marktwirtschaft, zu Eigentum, im Zusammenhang mit Corona auch zu eingeschränkter Reisefreiheit anbelangt. Einstellungen, so glauben manche, die etwas mit dem Heranwachsen in der DDR zu tun hätten.

Als Protestantin aus dem Südwesten fühlte ich mich dem Protestantischen einer Pfarrerstochter aus dem Nordosten immer auf natürliche Weise nahe, näher als manch anderem Menschenschlag in geringerer räumlicher Distanz. Gerade wegen einer Wesensart, die in ihrer Sachlichkeit und der Bereitschaft, nicht viele Worte zu machen, stattdessen anzupacken, in etwa dem entspricht, was ich mit der Muttermilch aufsog. Bei uns sagt man »Schaffe, net schwätze«.

Nicht immer münden die genannten Attribute, zu denen sich bei Angela Merkel eine wohltuende Unempfänglichkeit für Lob, Eitelkeit und zur Schau gestellten Materialismus gesellt, in die Fähigkeit zum Ausgleich. Bei Angela Merkel schon. Sie markiert damit in gewisser Weise einen historischen Außenposten des heutigen gesellschaftlichen Klimas. Denn um den Ausgleich als Wert ist es nicht mehr gut bestellt. Gilt er doch nicht nur in der Literatur, sondern auch in der Politik und debattierenden Öffentlichkeit als eine Harmonisierungsformel und, vielleicht weil er etwas vom Geschmack der pazifistischen Achtzigerjahre hat, schnell als langweilig, unkämpferisch und fade. Dies könnte mit jener gesellschaftlichen Tendenz zu tun haben, Forderungen in eigener Sache immer deutlicher zu artikulieren. Wobei hinter den unzähligen Partikularinteressen – kreisen sie um den Ausbau von Infrastrukturen, das Einklagen von Studienplätzen bis hin zu Fragen von Herkunft, Geschlecht und einer gendergerechteren Sprache – nicht immer das Ideal der Vielfalt für alle stehen muss, sondern zunächst das Gefühl der eigenen Nichtbeachtung, ja, des Gekränktseins.

Viel ist mittlerweile von der »Gesellschaft der Singularitäten« nach einem gleichnamigen Buch des Soziologen Andreas Reckwitz die Rede. In einem Beitrag über die Bewegung des »Regretting Motherhood«, das Unwohlsein angesichts der eigenen Mutterschaft, schrieb der FAZ-Journalist Edo Reents einmal die wahren Worte, dass es mittlerweile für jede subjektive Lage ein Forum gebe, einen Buchmarkt, einen Debattenbedarf. Er mündet dabei in eine Frage, die nach einem Pfarrer, Gymnasiallehrer oder Handwerkermeister aus alten Tagen klingen mag: »Gibt es eigentlich auch noch Leute, die sich zusammenreißen?«

Man muss es mit Attributen wie Demut, Dankbarkeit und protestantischer Ethik ganz sicher nicht übertreiben, die auch in meinem Fall vor allem mit dem Hineingeborenwerden in eine Nachkriegs- und Wirtschaftswundergesellschaft voller ungelöster Konflikte zu tun hatten. Und doch mag nicht wenigen öffentlichen Diskursen eine Prise davon fehlen. Eine gewisse Ambivalenz unserer Zeit scheint zumindest darin zu bestehen, dass die Gesellschaft vorgeblich vielfältiger, diverser, diskussionsfreudiger usw. wird, zugleich aber deutlich rigoroser bei Verstößen gegen favorisierte Meinungen. Man könnte auch sagen: ichbezogener, wenn »ich« die eigene Peergroup meint.

Genau deshalb scheint sich mancher vor der Kraft des »Nun ist es gut« und »Nicht jeder zuerst für sich« zu fürchten und den Ausgleich als Prinzip kleinzumachen. Wo bliebe, sagt Schiller, aber die Harmonie des Ganzen, »wenn jedes nur für sich selbst sorgte? Daraus eben geht sie hervor, daß jedes aus innerer Freiheit sich gerade die Einschränkung vorschreibt, die das andere braucht, um seine Freiheit zu äußern«. Was für ein Satz.

Das Bekenntnis zum Ausgleich als geistiger Lebensform ist darum in Wahrheit etwas anderes als die Scheu vor der Auseinandersetzung: die Einsicht nämlich, dass Polarisierungen heute noch schneller und zerstörerischer als früher erzeugt sind, wir am Ende als Staat und Gesellschaft aber zueinanderkommen müssen, ohne allen nach dem Munde zu reden. Dies ist für mich persönlich die größte, die schier unglaubliche Leistung Angela Merkels. Nur wer sich dabei im Sinne Reents' zusammenreißen kann, hat diese Kraft zum Kompromiss.

III.

Verweilen wir noch einen Augenblick bei der Zeit Angela Merkels, ihrer »Lage«, die sie analysierte und erkannte, um es mit einem anderen protestantischen Dichter der Mark zu sagen, der ebenfalls in einem Pfarrhaus aufwuchs, Gottfried Benn nämlich.

Die 16 Jahre der Kanzlerschaft Angela Merkels sind geprägt von Transformationsprozessen der äußeren wie der inneren Sphäre gleichermaßen; möglicherweise dramatischer, als das für die Kanzlerschaft ihrer Vorgänger gilt. Denn sosehr die »New World Order« nach dem Fall der Mauer Deutschlands Rolle in der Welt wie auch das Verhältnis zu seinen Verbündeten im Positiven verändert hat, so sehr gab die alte Weltordnung nach innen doch eine gewisse Stabilität, grenzte politische Lager und Milieus viel drastischer und weniger erklärungsbedürftig voneinander ab, als dies heute der Fall ist. Ja, man kann mit Blick auf das Eintreten des Internets und der sozialen Medien in das Innere der Gesellschaft die Frage stellen, ob die eigentliche Zäsur am Ende des 20. Jahrhunderts im Fall der Mauer besteht oder ein Jahrzehnt später in der Veränderung gesellschaftlicher Debatten durch das Internet und der Ablösung klar definierter Kommunikationswege durch eine Verständigung aller mit allen, die nicht selten zu Konformismus führt.

Das betrifft auch Angela Merkel selbst. Der Ausstiegsbeschluss aus der Kernkraft im Frühjahr 2011 – ich erinnere mich noch an die Landtagswahlen in Baden-Württemberg, die mit Winfried Kretschmann erstmals überhaupt einen grünen Regierungschef hervorbrachten – war womöglich weniger dem Fühlen der einstigen Umweltministerin geschuldet, auch nicht der Einsicht der Physikerin in die Folgekosten, sondern der nüchternen Analyse der gesellschaftlichen Schwingungen. Ein Muster, das sich durch andere Entscheidungen

Angela Merkels mit Blick auf das übergeordnete Ziel zog, ihre Partei als Partei der Mitte unter veränderten soziokulturellen Rahmenbedingungen zu behaupten; beispielhaft die Entscheidung über die Grenzöffnung des Jahres 2015.

Angela Merkel musste dafür einstecken, sie zahlte den Preis einer horizontalen Kommunikationskultur, in der jeder alles in jedem Ton sagen kann. Wer die Bilder öffentlicher Auftritte sieht, in denen sie beispielsweise am Tag der Deutschen Einheit 2016 mit unsagbaren Worten beschimpft wurde, dem läuft es kalt den Rücken herunter.

Ihre Amtszeit eröffnet dabei eine weitere Dimension gesellschaftlicher Empfindsamkeit. Eine unliebsame Verwandte des Ausgleichs ist nämlich die heute populäre Zuschreibung, dass es nicht mehr gleich zuginge, die politische Klasse genau wie die Wirtschaft und anders als Adenauer und Erhard nicht mehr den Ausgleich im Sinne hätten, sondern die Spaltung der Gesellschaft billigend in Kauf nähmen, wenn nicht gar beförderten. Das »Früher war alles besser« der Generation Golf und ihrer Eltern stellt jene Stabilität und Berechenbarkeit der Achtzigerjahre als im Grunde goldenes Jahrzehnt nicht zufällig der Dynamik einer von Digitalisierung, Globalisierung und Unsicherheit geprägten zweiten Moderne gegenüber.

IV.

Wenn oben davon die Rede war, dass dem Ausgleich in der Literatur keine Karriere beschieden sei, da er eine Harmonisierungsformel darstelle, so gilt nicht zufällig das Gegenteil für die heutige Sozialtheorie. Denn der soziale Ausgleich, über den wir uns auch in einem sich den Grundsätzen des christlichen Menschenbildes verschreibenden Familienunternehmen Gedanken machen, ist förmlich in aller Munde. Dabei lautet die Grundformel verkürzt, dass ein Ausgleich im Sinne der sozialen Marktwirtschaft im kapitalistischen System heutigen Zuschnitts nicht mehr möglich sei.

Mit solchen Aussagen findet man auch in den politischen und medialen Auseinandersetzungen bestens Anklang. Im Lichte steigender

Immobilienpreise scheint das einstige Wohlstandsversprechen Bildung kein Garant mehr für Wohlstand zu sein. Arbeitnehmer, so wirbt der Suhrkamp Verlag für sein Buch »Die Abstiegsgesellschaft« von Oliver Nachtwey, würden immer weniger vom großen Kuchen abbekommen. Echte Gleichheit im materiellen wie ideellen Sinne, wie es sie für die Generationen Käfer und Golf noch gab, würde damit unmöglich.

Biografisch und von ihrem Wahlkreis in Ostvorpommern her hätte Angela Merkel bereits vor vielen Jahren eher Grund dazu gehabt als manch anderer, die soziale Frage zu ihrem Thema zu machen. Aber sie hat diese Tonart nie gespielt, die des Oben und Unten, des Ostens und Westens, von Reichtum und Armut, Gerechtigkeit und Ungerechtigkeit. Ihr Anspruch an geistige Vielschichtigkeit verbat ihr den groben Klotz. Aber auch ihr Anspruch an sich selbst, das Ich nicht zum Thema für alle anderen zu erheben. Mein Gefühl der Betroffenheit, mein Eindruck, ich bekomme nicht, was mir zusteht: Hat man Angela Merkel je in eigener Sache klagen und andere zur Aufwertung des Selbst kleinmachen hören? Sie hat sich frei nach Reents stets zusammengerissen.

Nicht Bilderstürmerei, das Tilgen von Namen, das Beugen von Sprache war ihre Sache – ebenso wenig das reflexhafte Aufschreien. Im Sinne Schillers hat sie sich stets nach der Maxime verhalten, dass Vielfalt nur gelebt werden kann, wenn wir auf die Gemeinsamkeiten schauen. Und dass die Art und Weise, wie wir über Alter, Geschlecht, Neigung, Herkunft als »Identität« reden, die Gesellschaft eher spaltet, als sie zu einen. Von allen brennenden sozialen Fragen einmal abgesehen, die darüber in Vergessenheit geraten.

All das kann man über einen derart langen Zeitraum nur mit großer innerer Ruhe und starken Nerven bewerkstelligen. Es muss in einem sein, lässt sich nicht erlernen, sonst verrutschen über kurz oder lang eben doch die Hüllen wie schlecht genähte Kleider. Der Titel von Angela Merkels Diplomarbeit hat darum auch für eine Literaturwissenschaftlerin einen assoziativen Klang. Ja, er »tönt« im Grunde nach einer Allegorie dessen, was man auch im öffentlichen und politischen Raum beobachten kann: »Der Einfluss der räumlichen Korrelation auf die Reaktionsgeschwindigkeit bei bimolekularen Elementarreaktionen in dichten Medien«.

Sträflich unwissenschaftlich und allein auf die Worte blickend, bleiben vier Satzteile spontan hängen: »Räumliche Korrelation«, »Einfluss«, »Reaktionsgeschwindigkeit«, »dichte Medien«. Mit dem Mut der Verfremdung könnte man diese Worte auch so umkehren: »Gerade dann, wenn die Wellen der Erregung hochschlagen, gilt es einen kühlen Kopf zu bewahren.«

Diesen Grundsatz hat Angela Merkel bis zu ihrer letzten, vielleicht schwersten politischen Prüfung, der Führung in der Coronakrise, befolgt. Zu anderen Zeiten wären die letzten Monate der Kanzlerschaft eine Möglichkeit zur Reflexion und Bilanz von 16 Jahren gewesen – gelassen durch die Gewissheit, im Herbst 2021 nicht mehr kandidieren und keinen Wahlkampf mehr betreiben zu müssen. Sich dem großen Lärm der politischen Öffentlichkeit etwas entziehen zu können. Die Geschichte wollte es aber anders.

V.

Man soll am Ende nicht immer beim Persönlichen landen, und doch geht es in diesem Fall nicht ganz ohne. Wir haben uns einige Male getroffen. Zunächst im Innovationsbeirat der Bundesregierung, der damals den Versuch unternahm, Politik und Wirtschaft zu den technologischen Zukunftsfragen näher zusammenzubringen. Der Rat für Innovation und Wachstum zwischen 2006 und 2008, dem seitens der Wirtschaft klangvolle Namen wie Heinrich von Pierer, Joachim Milberg und Henning Kagermann angehörten, seitens der Politik neben der Bundeskanzlerin Thomas de Maizière, Michael Glos und Annette Schavan, war unter Angela Merkel als Gremium ins Leben gerufen worden, nachdem ihr Vorgänger bereits eine ähnlich lautende Initiative gegründet hatte. Der Rat hatte auf beiden Seiten 17 Mitglieder. Wir waren drei Frauen, Angela Merkel, Annette Schavan und ich.

Heute ist es – auch das dokumentiert den Wandel der Zeit und der gesellschaftlichen Partizipation auf allen Ebenen – selbstverständlich geworden, Expertinnen und Experten aus Unternehmen oder der Wissenschaft einzuberufen, nationale Wissenschaftsakademien und andere Gremien als Politikberatungsorganisationen auch so zu benennen. Oder sich ad personam beraten zu lassen, wie dies in der Coronakrise der Fall war. Damals war diese Form des Zusammen- und Aufeinanderzugehens durchaus etwas Neues und Produktives. Es waren rückblickend zwei wichtige Jahre für mich.

An ein persönliches Erlebnis kann ich mich dabei gut erinnern, zumal im Lichte eines historischen Satzes, für den Angela Merkel später viel Prügel einstecken musste. Einer meiner drei Söhne, der damals Abiturprüfung hatte, war der Verzweiflung nahe, wir hatten just am Morgen einer Ratssitzung in Berlin telefoniert. Ich erzählte der Bundeskanzlerin am Rande einer Sitzung davon und fragte sie mehr im Scherz nach einer aufmunternden Grußformel. Sie zögerte daraufhin nicht lange und schrieb auf eine Karte die drei Worte: »Du schaffst das.« Das war 2007.

Ich begleitete die Kanzlerin später auf einer Chinareise. Ohne ihr gutes Wort bei den Behörden hätten wir unser chinesisches Tochterunternehmen JFY wohl nicht erwerben können, zu verwoben waren die Wege der chinesischen Bürokratie für ausländische Interessenten und aus Sicht der Staatsführung auch Konkurrenten. Angela Merkel war immer vom Gedanken der »Level Playing Fields« durchdrungen. Ihre Diplomatie war dabei stets behutsam, respektvoll und kurz, sie lächelte, wo andere, ich spreche von einem bestimmten Typus Mann, es gewohnt sind zu poltern und lange zu agitieren. Damit war sie umso wirkungsvoller.

Später besuchte sie TRUMPF in Ditzingen und im sächsischen Neukirch in der Oberlausitz, eine Region, die zuletzt wie viele andere grenznahe Gebiete besonders stark von der Coronapandemie betroffen war. Es gab einige wenige Proteste im Ort, sie kam mit dem Hubschrauber. Viele der fast 500 Mitarbeiter werden den Tag, an dem die Kanzlerin zusammen mit dem sächsischen Ministerpräsidenten

Michael Kretschmer unser nach der Wende zum deutsch-deutschen Vorzeigebetrieb ausgebautes Werk besuchte, aber aus einem anderen Grund nicht vergessen: Weil sie sich zwei Stunden Zeit nahm, mit ihnen in einer Werkhalle sehr offen über Versäumnisse und Ängste zu sprechen. Über die Öffnung der Grenzen 2015, die Migration nach Deutschland. Aber auch die Zukunft ländlicher Räume, in denen der Bus nicht mehr fährt oder die Einzelhändler schließen – die Zukunft der Tausenden Templins in Sachsen und anderswo in unserem Land. Und damit ein weiteres Thema auch der kulturellen Spaltung der Gesellschaft, das in seiner Tragweite möglicherweise noch nicht ausreichend erkannt wurde. Obwohl die Wahl Donald Trumps auch in Deutschland Anlass sein sollte darüber nachzudenken, ob die Diskurse der Großstädte insbesondere den ländlichen Regionen zu oft das Gefühl des Abgehängtsein im mehr als nur verkehrspolitischen Sinne vermitteln.

Wir waren später mit unseren Männern, die zumindest in ihrem Fall wie bei Fontane Joachim, in meinem Mathias heißen, gemeinsam abendessen. Es war ein sehr schöner und persönlicher Abend. Und ich erinnere mich auch an ein Interview in ihrem Büro, das Miriam Meckel 2017 für die *Wirtschaftswoche* führte. Angela Merkel sagte auf die Frage, ob es Alternativen zur Politik gegeben hätte, ein anderes Leben, etwa in der freien Wirtschaft: Ein kleines Restaurant zu eröffnen, das hätte sie sich auch vorstellen können. Während ich auf die umgekehrte Frage konstatieren musste, in der Politik wahrscheinlich längst im Gefängnis zu sitzen, weil mir die Selbstbeherrschtheit der Kanzlerin bei Anfeindungen von politischen Gegnern abginge.

Nicht nur wegen des Lockdowns habe ich in letzter Zeit oft an den Restaurant-Satz denken müssen. Sondern weil ich ihr diese Genügsamkeit abnehme. Sie war damals so wenig gespielt wie heute. Nach all den Jahren wohnt Angela Merkel noch immer eine vielleicht doch der Herkunft geschuldete Ruhe und Zufriedenheit inne. Der Stechlin oder Hohenwalde in der Uckermark als Ausgleich zum großen Weltgetöse. Auch das ist eine »räumliche Korrelation«. Wer aus Friesack kommt, der heißt nicht Raoul und wird es wohl auch nie tun.

PS: Wenn es wirklich einmal so kommt mit dem Restaurant, möchte ich gern, sollte freilich eine Einladung dazu ergehen, von Stuttgart aus mit dem Auto in den Nordosten fahren, in die Landschaft Fontanes, um dort eine Kartoffelsuppe märkischer Art zu probieren. Danach vielleicht ein Stück Kirsch- oder Birnenkuchen mit den Früchten aus Herrn von Ribbecks Garten.

Leading from behind: Die Kanzlerin und die hohe Kunst der Klimapolitik

Von Ottmar Edenhofer

Das Urteil über die Regierungszeit Angela Merkels werde durch den Ausgang der Pandemie geprägt sein. Wirklich? Vielleicht wird die Kanzlerin, wenn bis Herbst des Jahres 2021 die meisten Deutschen geimpft sind und die Konjunktur wieder anspringt, ihr Bild als Meisterin des Krisenmanagements in der Öffentlichkeit befestigt haben. Immerhin waren die vergangenen anderthalb Dekaden für die Deutschen sichere Jahre. Die Finanzkrise, die Griechenlandkrise, die Ukrainekrise, die Verfassungskrise Europas: Merkel hat sie alle den Deutschen vom Hals gehalten. Man wird ihr im Vorfeld der Flüchtlingskrise Versäumnisse und mangelnde Weitsicht vorwerfen – und ihr gleichwohl zugutehalten, dass sie die humane Substanz Europas bewahrt hat.

Aber hat sie die Deutschen auch für die Krisen im weiteren Verlauf des 21. Jahrhunderts vorbereitet? Was ist mit der Klimakrise?

Am Beginn globaler Klimapolitik

Zweifellos wird man auch hier betonen, dass Angela Merkel als einer der wenigen in der Spitzenpolitik die Dimension des Problems erkannt hat. Sie hat – wie auch bei der Pandemie – auf den wissenschaftlichen Sachverstand vertraut und ihn sich angeeignet. Bereits als Umweltministerin setzte sie national und auch international entscheidende Akzente. Sie hat 1995 die erste Klima-Vertragsstaatenkonferenz (COP 1) in Berlin eröffnet und damit einen

Verhandlungsmarathon begonnen, als dessen wichtigste Etappe 20 Jahre später das Abkommen von Paris beschlossen wurde. Für eine kurze Zeit feierte man sie als Klimakanzlerin, und viele hätten sich gewünscht, sie wäre als solche auch aus dem Amt geschieden und in die Geschichtsbücher eingegangen. Es könnte jedoch sein, dass sich gerade an dieser Krise ablesen lässt, dass ihr Politikstil an Grenzen gestoßen und daher durch ihre Nachfolger nicht mehr kopierbar ist.

Historische Persönlichkeiten werden erst dann Geschichte, wenn die Würfel für ihre Bewertung gefallen sind. Aber diese Frau wird, auch nachdem sie aus ihrem Amt geschieden ist, noch lange nicht Geschichte sein. Denn beim Ausgang der Klimakrise sind die Würfel noch nicht gefallen. Sie wird sich verschärfen. Und es wird sich noch zeigen, ob Europa, ob Deutschland darauf angemessen antworten können. Davon wird das historische Urteil der kommenden Generationen über diese Kanzlerschaft entscheidend mitbestimmt werden. Gelingt den künftigen Bundesregierungen eine kohärente Klimapolitik, wird man Merkel dafür feiern, dass sie dafür die Grundlagen legte. Doch sollten sie scheitern, dann wird man die Devise von der Politik als der Kunst des Möglichen, als der Kunst des demokratischen Kompromisses, als ungeeignet betrachten, um mit den Risiken des 21. Jahrhunderts fertigzuwerden. Damit steht mehr auf dem Spiel als nur das historische Urteil über ihre Regierungszeit. Letztlich stellt sich die Frage, ob sich das europäische Lebensmodell in dem neu anhebenden Systemwettbewerb des 21. Jahrhunderts noch behaupten kann.

Was würde das Urteil bedeuten, ihr Politikstil sei in der Klimafrage an seine Grenzen gestoßen? Man wird dies nur erfassen können, wenn man sich einige Stationen ihres politischen Wirkens vor Augen führt. Ich bin der Bundeskanzlerin zum ersten Mal 2006 persönlich im Kanzleramt begegnet: Deutschland torkelte durch sein Fußball-Sommermärchen, und ich referierte an einem heißen Junitag die Kernthesen des Potsdam-Instituts für Klimafolgenforschung zu den Kosten des Klimaschutzes, die im berühmten »Stern-Report«

des britischen Ökonomen Nicholas Stern eine wichtige Rolle spielen sollten. Dieser Bericht beinhaltete eine einfache Botschaft: Emissionen vermindern ist billiger, als die Klimaschäden eines ungebremsten Klimawandels in Kauf zu nehmen. Merkel fand die ökonomische Argumentation überzeugend. Auf dem G8-Gipfel in Heiligendamm im Folgejahr versprachen die Regierungschefs, eine Halbierung der Emissionen bis 2050 ernsthaft zu prüfen. Die drastischen Folgen eines ungebremsten Klimawandels hatte John Schellnhuber, der damalige Direktor des Potsdam-Instituts, der Kanzlerin als Berater nahegebracht. Der »Stern-Report« zeigt, dass dies zu moderaten Kosten machbar ist: Es kostet nicht die Welt, den Planeten zu retten. Für die Kanzlerin war der G8-Gipfel ein sensationeller internationaler Erfolg – selbst US-Präsident George W. Bush stimmte zu. Ohne diese Vorarbeit wäre das Abkommen von Paris kaum denkbar gewesen.

Der große Rückschlag 2009

Bevor jedoch der Erfolg von Paris gelang, hatten die internationale Klimapolitik und auch die Klimakanzlerin einen niederschmetternden Misserfolg zu verkraften, nämlich das Scheitern der Klimakonferenz von Kopenhagen im Jahr 2009. Dieser Rückschlag machte eine Dekade klimapolitischer Bemühungen nahezu zunichte. Eigentlich wollte man in Kopenhagen das im Jahr 1997 vereinbarte Kyoto-Protokoll zu einem völkerrechtlich bindenden Vertragswerk ausgestalten, mit verbindlichen Emissionsminderungsverpflichtungen für alle Länder: Die Menschheit sollte nur noch eine begrenzte Menge an Treibhausgasen in der Atmosphäre ablagern, bei der Emissionsminderung sollten die reichen Länder in Vorleistung gehen und die ärmeren Länder unterstützen, bis Mitte des Jahrhunderts sollten die Emissionsrechte dann auf alle Erdenbürger gleich verteilt werden.

Länder wie Afrika und Indien hätten davon gewaltig profitiert – der Zufluss an Transferzahlungen hätte das Volumen der klassischen Entwicklungshilfe bei Weitem überstiegen. Unsere dazu erarbeiteten

Berechnungen lieferten wir an das Kanzleramt, der Wissenschaftliche Beirat der Bundesregierung Globale Umweltveränderungen (WBGU) sprach sich in einem Gutachten für diese Idee aus. Der gemeinsame Bericht eines ungewöhnlichen Trios von Münchner Rück Stiftung, Misereor und Potsdam-Institut argumentierte für einen »Global Deal«, auch Nick Stern entwickelte seine eigenen Vorschläge dazu. Es sollte ein Triumph des Multilateralismus werden. Doch diese Vorstellungen scheiterten an der machtpolitischen Realität.

Es gab eben – und daran hat sich bis heute nichts geändert – keine multilaterale Institution, die ein solches Vertragswerk umsetzen könnte. Klimapolitisch ist nur möglich, was die Staaten freiwillig zu erbringen bereit sind. Aber weder China noch die USA noch Indien wollten in Kopenhagen völkerrechtlich verbindliche Verpflichtungen akzeptieren. Die Kanzlerin hatte sich in den Verhandlungen bis in die Nacht ins Zeug gelegt. Es kam kein Abkommen zustande, es wurde lediglich erreicht, dass der im Rahmen der Klimarahmenkonvention angelegte multilaterale Verhandlungsprozess überhaupt weiterlaufen konnte. In der Folge verlor die Öffentlichkeit das Vertrauen in die Klimapolitik und auch in die Klimawissenschaft. Es erschienen, auch in deutschen Leitmedien, wieder vermehrt Artikel der Klimaskeptiker. Die Reputation des Weltklimarates wurde massiv beschädigt – ausgelöst durch eine unprofessionelle mediale Kommunikation zu kleineren Fehlern in seinen Berichten.

Es sollte sechs Jahre dauern, bis das Vertrauen in die Klimawissenschaft und die Klimapolitik durch eine umfassende Begutachtung der internen Prozesse des Weltklimarates und durch einen neuen, überzeugenden Sachstandsbericht wiederhergestellt war und das Abkommen von Paris zustande kam. Erkauft wurde dieser Triumph mit einer radikalen Kehrtwende in der Klimapolitik, die der Kanzlerin nur schrittweise einleuchtete: Die Staaten verpflichten sich zwar dazu, die globale Mitteltemperatur auf deutlich unter zwei Grad zu halten, sie wollen sogar den ernsthaften Versuch unternehmen, sie auf 1,5 Grad zu begrenzen. Aber sie legen ausschließlich freiwillige Selbstverpflichtungen auf den Tisch. Vereinbart wurde lediglich: Wenn das nicht reicht, werden wir unsere Anstrengungen verstärken. Bislang hat das Abkommen von Paris noch zu keinen ausreichenden Emissionsminderungen geführt, aber immerhin hat dieser multilaterale Prozess sogar Donald Trump überlebt. Es wird sich erweisen, ob es mehr ist als eine globale Absichtserklärung, ein Schirm über eine Vielzahl unkoordinierter nationaler Politiken, der nicht dazu führt, dass die Zwei-Grad-Grenze eingehalten wird.

Paradigmenwechsel in der Energiepolitik

Nicht nur auf internationaler Ebene kam es in der Klima- und Energiepolitik zu einem Paradigmenwechsel. Es wurden auf nationaler Ebene klima- und energiepolitische Entscheidungen getroffen, die in vielerlei Hinsicht einen Bruch mit der Vergangenheit bedeuten. In Deutschland führte das Reaktorunglück von Fukushima am 11. März 2011 innerhalb von 96 Stunden zum Atomausstieg. Noch 2010 hatte die Bundesregierung mit der sogenannten Laufzeitverlängerung ein gegenläufiges Signal gesetzt. Die Bundeskanzlerin, bis zu diesem Zeitpunkt eine überzeugte Anhängerin der Kernenergie, vollzog nun vor den Augen der Weltöffentlichkeit eine Kehrtwende, deren Wirkungen erst nach und nach deutlich wurden. Als einer der Vorsitzenden des Weltklimarates hatte ich damals die Aufgabe, einen Bericht über das ökonomische und technische Potenzial der erneuerbaren Energieträger vorzulegen. An jenem 11. März hielt ich zu diesem Thema einen Vortrag vor einer kleinen, vertraulichen Runde von Experten. Klaus Töpfer hatte sie zusammengetrommelt, es nahm auch der neue Chef der internationalen Organisation für erneuerbare Energie (IRENA) teil. Ich hatte gerade erste Ergebnisse des Berichtes vorgestellt, da platzte die Nachricht von dem japanischen Super-GAU in die Veranstaltung. Man konnte innerhalb weniger Stunden die öffentliche Debatte vorwegnehmen: Die Kernenergie verlor ihren Rückhalt – und die erneuerbaren Energien sollten nun zeigen, was sie zu leisten vermochten.

Unser Bericht gewann damit eine unvermutete Aktualität. Bereits am 15. März 2011 war der Ausstieg aus der Kernenergie in Deutschland beschlossene Sache, Angela Merkel verkündete in einer Pressekonferenz die Einigung mit den Ministerpräsidenten. Zwar konnten sich anschließend nicht alle Ministerpräsidenten daran erinnern, dass die verkündete Einigung auch tatsächlich erzielt worden war. Aber am 30. Juni 2011 beschloss der Bundestag mit großer Mehrheit den endgültigen Ausstieg aus der Kernenergie. Die Entscheidung blieb hoch umstritten: Die Atomkraft galt ja jahrzehntelang als saubere und sichere Quelle der Energieversorgung. In der Einschätzung des ökonomischen und technischen Potenzials der erneuerbaren Energieträger waren sich selbst die Experten uneinig – aber ein Anteil von etwa 80 Prozent am Primärenergieverbrauch im Jahr 2050, wie es Greenpeace in Szenarien ausmalte, galt durchweg als unrealistisch. Im Weltklimarat hatten wir auch solche Szenarien ausgelotet. Wichtige Medien wie etwa der *Economist* warfen uns daraufhin vor, wir hätten die Vorstellungen von Greenpeace gar nicht diskutieren dürfen; in der Fachzeitschrift *Nature Climate Change* hatte ich diesen Schritt dann erklärt und begründet. Die Aufregung von damals lässt sich im Lichte der aktuellen Entwicklung kaum mehr nachvollziehen: Das Greenpeace-Szenario wird durch den bisherigen weltweiten Ausbaupfad der erneuerbaren Energien bestätigt. Die erneuerbaren Energien haben die Kernenergie nicht nur ersetzt, sie sind zudem jetzt auch billiger als die Atomkraft.

Mit Fukushima begann für Deutschland und Europa ein neues Kapitel der Klima- und Energiepolitik. Der damalige SPD-Vorsitzende Sigmar Gabriel forderte das Potsdam-Institut auf, Szenarien zum Kernenergieausstieg zu berechnen. Er sicherte uns wissenschaftliche Freiheit zu, und wir machten uns gemeinsam mit unseren Kollegen von der Universität Leipzig an die Arbeit. Wir kamen zu dem Ergebnis, dass sowohl ein rascher Ausbau der erneuerbaren Energien notwendig wäre als auch ein Zubau fossiler Kraftwerke. Ein steigender CO_2-Preis sollte dafür sorgen, dass die Emissionen trotzdem deutlich sinken. Diese letzte Botschaft hat die Politik überhört: Das

Reset-Manöver von 2011 leitete den Bau von elf neuen Kohlekraftwerken in Deutschland ein, und der Anteil der erneuerbaren Energieträger stieg beträchtlich –, aber die Emissionen sind in den darauffolgenden fünf Jahren kaum gesunken, weder insgesamt noch speziell im Energiesektor. Für das Klima wurde wenig erreicht. Für die Regierung stand die Finanzkrise im Vordergrund. Die Bundeskanzlerin verließ für geraume Zeit die klimapolitische Bühne.

Erst 2016, im Nachgang zum Abkommen von Paris, hat Deutschland einen umfassenden Zielkatalog im »Klimaschutzplan 2050« formuliert. Denn es hatte sich gezeigt, dass sich mit der bisherigen Politik die erklärten Ziele nicht erreichen ließen. Auch international wurde der in Paris errungene diplomatische Erfolg von der Realität relativiert: Die globalen Treibhausgasemissionen stiegen weiter an. Die Welt befand sich inmitten einer globalen Renaissance der Kohleverstromung. Das wurde in Deutschland kaum wahrgenommen, weil der Ausbau der erneuerbaren Energien und der Atomausstieg diese Debatte zunächst verdeckten. Mit unseren Arbeiten dazu stießen wir weder in der Fachöffentlichkeit noch in der Politik auf großes Verständnis. Die Begeisterung über die »Energiewende« war zu groß – endlich, so schien es, gab es einen Aufbruch. Das im Jahr 2000 in Kraft getretene und seither immer wieder novellierte Erneuerbare-Energien-Gesetz (EEG) sprengte die Machtstrukturen auf dem Energiemarkt auf. Neue Akteure betraten die Bühne.

Die Rückkehr der Klimakanzlerin

Doch im Verlauf des Jahres 2018 wurde dann auch einer breiteren Öffentlichkeit klar: Trotz des beträchtlichen Ausbaus der Erneuerbaren in der Energiewirtschaft sanken die Emissionen in den wichtigen Sektoren Verkehr, Gebäude und Landwirtschaft nicht, und selbst im Stromsektor wurde die Kohle wieder vermehrt genutzt. Der Ausstieg aus der Kernenergie begann also, unerwünschte Nebenfolgen zu zeitigen. Die Medien beklagten die verloren gegangene Vorreiterrolle Deutschlands, sogar von der »Öko-Lüge« war die Rede. Zugleich war in der Berichterstattung, auch in der der wirtschaftsnahen Leitmedien, ein Stimmungswechsel spürbar: Es ging jetzt nicht mehr darum, ob es den menschengemachten Klimawandel gab, sondern wie eine effektive Klimapolitik aussehen konnte. Die Fridays-for-Future-Bewegung formierte sich. Und in Deutschland war die Klimakanzlerin wieder zurück auf der Bühne.

Man beschloss das Einsetzen einer Kohlekommission. Sie sollte einen Konsens erarbeiten. Das war ein bemerkenswerter Vorgang: In den Debatten des Deutschen Bundestags hatte man zwar jahrzehntelang über den Atomausstieg diskutiert, aber erst nach dem Ende der rot-grünen Koalition im Jahr 2005 wurde die Kohle in nennenswertem Umfang als klimapolitisches Problem thematisiert. Große Teile der Grünen und der Umweltbewegung waren zudem der Überzeugung, der Ausbau der erneuerbaren Energien sei ausreichend, um auch die Kohlekraftwerke aus dem Strommarkt zu drängen. Das erwies sich als folgenschwerer Irrtum: Wegen des unzureichenden CO_2-Preises waren die Gaskraftwerke kaum mehr wettbewerbsfähig, während die Kohlekraftwerke weiterlaufen konnten. Als Konsequenz aus diesen Entwicklungen gründete Merkel das Klimakabinett, besetzte es mit sechs ihrer Ministerinnen und Minister, dem Chef des Kanzleramtes sowie dem Pressesprecher und zog damit die klimapolitischen Kompetenzen de facto an das Kanzleramt. In dieses Klimakabinett lud sie im Juli 2019 den damaligen Vorsitzenden des Sachverständigenrats zur Begutachtung der gesamtwirtschaftlichen Entwicklung, Christoph Schmidt, und mich ein. Wir sollten dort das Gutachten des Sachverständigenrats zur Klimapolitik sowie unser Gutachten zur CO_2-Preis-Reform vorstellen, dass das Mercator Research Institute on Global Commons and Climate Change mit Unterstützung des Potsdam-Instituts erstellt hatte. Schmidt und ich waren der gemeinsamen Überzeugung, dass die CO_2-Bepreisung zum neuen Paradigma der Klimapolitik werden müsse. Von dieser bereits in publizistischen Aktivitäten erprobten Allianz erhoffte sich die Kanzlerin Vorschläge, die über die Parteigrenzen hinweg anschlussfähig werden könnten.

In dieser Phase begann ich genauer zu verstehen, warum man häufig zu hören bekam, Merkel sei eine Meisterin des leading from behind. Subtil beförderte sie in dieser Situation die Dinge in die richtige Richtung. Die Wissenschaft sollte gangbare Lösungen erarbeiten, und in der anschließenden Diskussion sollte sich dann eine Lösung abzeichnen, die es ihr erlaubte zu sagen: »Seht ihr, so sieht ein gangbarer Kompromiss aus!« Dieser Politikstil hat dazu beigetragen, dass Beschlüsse oft als »alternativlos« verkauft und wahrgenommen wurden. In vertraulichen Runden wurden zwar die Alternativen diskutiert, der Öffentlichkeit präsentierte man aber die Entscheidung, die dann in der Tat alternativlos daherkam.

Kurz vor unserem Auftritt im Klimakabinett im Juni 2019, meldete sich die Bundeskanzlerin zu einem Besuch am Potsdam-Institut an. In zwei Stunden wollte sie sich über die neuesten Erkenntnisse der Klimaforschung informieren. Sie ließ sich die Vortragsfolien vor dem Treffen zuschicken; auf den ausgedruckten Blättern hatte sie sich Notizen gemacht. Sie stellte Fragen, hörte zu. Was für ein Kontrast zu den Besuchen manch anderer Spitzenpolitiker, die oft übermüdet, eher gelangweilt den Vortragenden den Eindruck vermitteln, es handele sich um einen Pflichtbesuch, denn um das Klimathema käme man ohnehin nicht herum. Ganz anders die Kanzlerin: Sie wollte detailgenau über die zunehmenden Extremereignisse informiert werden und ebenso über die Möglichkeiten und Grenzen der CO_2-Preis-Reform in Deutschland. Politisch war eine Gelegenheit entstanden, die sie geschickt nutzte: die europäischen Verpflichtungen, die Proteste von Fridays for Future, der offenkundige Misserfolg der bisherigen Klimaschutz-Bemühungen im Verkehrssektor, die veränderte öffentliche Wahrnehmung des Klimaproblems auch durch den Hitzesommer 2018 – insgesamt also die Einsicht, es müsse etwas geschehen. Die Kanzlerin hatte sich schon öfter als Anhängerin eines CO_2-Preises geoutet, aber die Frage der Umsetzung war politisch schwierig: Die SPD wollte eine Steuer, die CDU einen Emissionshandel. Herausgekommen ist ein Hybrid. Man wird sehen, ob es auch noch die letzte Hürde nehmen und vor dem

Bundesverfassungsgericht Bestand haben wird. Aber die Methode »Merkel« hatte im September 2019 ein Ergebnis erzielt.

Viele Beobachter haben sie als Moderatorin charakterisiert, die Meinungen aufsaugt und dann einen Kompromiss erzielt. In jener Sitzung des Klimakabinetts, an der ich teilgenommen habe, erschien sie mir weniger als Moderatorin denn als eine strenge Klassenlehrerin, die mit einer etwas undisziplinierten Klasse einen Stoff durchbringen muss. Der leicht über die Stränge schlagende »Gaudibursch« wollte gebändigt, manch unverständige Schülerin motiviert werden – und alle sollten das sperrige Thema zumindest in den Grundzügen verstehen. So stellte sie dem einen oder anderen Kabinettsmitglied Fragen, deren Antworten in der Lösung einer kleinen Logelei bestanden. Nicht alle waren darin erfolgreich. Eine Aufforderung zur Nacharbeit hier, ein kleiner Seitenhieb dort und immer wieder eine Ermunterung für die Gutwilligen: Nach der Sitzung wussten alle, wo sie in der Notenskala standen. Sie selbst wollte den Sachverhalt durchdringen, wiederholte Argumente, um zu prüfen, ob sie die Implikationen korrekt verstanden hatte. Christoph Schmidt und ich waren begeistert. Eine der mächtigsten Frauen der Welt verstand, was wir wollten! Und fand dafür auch noch die richtigen Worte: »Wir brauchen eine CO_2-Preisereform!« Das Ergebnis blieb zunächst weit hinter unseren Erwartungen, in zähen Nachverhandlungen erzielte man dann doch noch ein halbwegs akzeptables Resultat.

Ein neuer Gesamtentwurf wird jetzt nötig

Insgesamt hat Angela Merkel mit ihrer Klima- und Energiepolitik gewiss nicht einfach einen Masterplan gehabt und durchgesetzt. Vielmehr orientierte sie sich eben an den Möglichkeiten, die ihr Ereignisse eröffneten: das Scheitern von Kopenhagen, die Reaktorkatastrophe von Fukushima, die Verpflichtungen gegenüber der EU. Die Bausteine dieser Klimapolitik liegen noch recht unverbunden auf der Baustelle, ihnen fehlt bisher eine wirklich durchgängige

Architektur für ein Gebäude. Mit dem Amtsantritt von Ursula von der Leyen als Präsidentin der EU-Kommission und durch die Ankündigung des European Green Deal sind die im Herbst 2019 national mühsam errungenen Kompromisse bereits überholt, müssen nachgebessert und nun zu einer konsistenten Einheit ausgebaut werden. Zudem fordert das Bundesverfassungsgericht in seinem vielbeachteten Urteil vom April 2021 von der Politik eine glaubwürdige Selbstbindung, um eine langfristige Klimapolitik zu ermöglichen. Eine stimmige Gesamtarchitektur ist grundlegende Voraussetzung, damit das Ziel der Treibhausgasneutralität bis 2050 gelingen kann. In den nächsten Jahren wird der Takt der Politik durch die europäische Ebene vorgegeben werden. Und Deutschland wird sein politisches Gewicht einbringen müssen. Ein kluges Durchwursteln wird aber nicht mehr ausreichen: Für die gesamte europäische Volkswirtschaft wird ein politisch induzierter Strukturwandel notwendig, der in der Wirtschaftsgeschichte ohne Vorbild ist. Dafür ist eine ordnungspolitische Architektur notwendig – eine inkrementelle Verbesserung der bestehenden Instrumente reicht nicht mehr aus. Es bedarf eines neuen Gesamtentwurfes, der die bisherigen Bausteine durchdacht zusammengefügt: Die Reform des europäischen Emissionshandels, Entwicklung einer europäischen Fiskalverfassung, der soziale Ausgleich zwischen und in den Mitgliedstaaten – all dies sind Aufgaben, die jetzt schnell bewältigt werden müssen. Die Kooperation zwischen den USA, China und Europa wird zur Bewährungsprobe für die Klimapolitik überhaupt. Gelingt sie, können die Ziele des Pariser Abkommens erreicht werden, scheitert sie, wird auch das Pariser Abkommen scheitern.

Wer die Politik lange genug aus der Nähe beobachtet hat, mag daran zweifeln, ob es dazu je kommen wird. Ja, er wird sich sogar fragen, ob Politik wirklich mehr sein kann als mühsames Klein-Klein. Und dennoch: Dieser Stil ist an seinem Ende angekommen. Denn Politik als die Kunst des Möglichen reicht nicht. Regierungen befinden sich heute in einem globalen Systemwettbewerb. Nicht nur konkurrieren Demokratien mit Autokratien, auch Demokratien werden danach bewertet, ob sie angesichts der globalen Risiken zur staatlichen Daseinsvorsorge in der Lage sind. Angela Merkel hat die Deutschen vor diesen Risiken verschont und ihnen auch die Frage nach großen Reformen erspart. Doch die Politik im weiteren Verlauf des 21. Jahrhunderts wird sich nicht mehr nur an der Kunst des Möglichen orientieren können, sie wird das Notwendige auch möglich machen müssen. Merkels Bild in den Geschichtsbüchern wird entscheidend davon geprägt sein, ob es ihren Nachfolgerinnen und Nachfolgern gelingt, die Klimakrise zu meistern.

Freie Wissenschaft – informierte Politik – aufgeklärte Öffentlichkeit

Von Jörg Hacker

»Wissenschaft muss auch einen bestimmten Stellenwert in der politischen Arbeit haben«

Im Fokus öffentlicher Debatten um die Zukunft Deutschlands stehen zunehmend Herausforderungen, die sich aus der Entwicklung einer Industrie- zu einer Wissensgesellschaft ergeben. Bildung, Wissenschaft und Forschung werden zu zentralen Gegenständen des politischen Gestaltungswillens. Denn die sozialen, ökonomischen und technischen Innovationen, welche die private und berufliche Lebenswelt von Bürgerinnen und Bürgern umformen, wären ohne die enge Kopplung zwischen gesellschaftlichem Wandel und wissenschaftlichem Erkenntnisfortschritt undenkbar. In diesem Sinne ist die Wissensgesellschaft eine Wissenschaftsgesellschaft, in der sich an die Wissenschaft die Erwartung richtet, ihre gewichtige Rolle in der Gesellschaft verantwortlich wahrzunehmen und zur Diskussion zu stellen. Dies hat die Coronapandemie unabweisbar zur Geltung gebracht – nicht nur in Deutschland, sondern weltweit.

Als Angela Merkel im Jahr 2011 die Jahresversammlung der Nationalen Akademie der Wissenschaften Leopoldina in Halle (Saale) mit ihrer Ansprache eröffnete, betonte sie den hohen Wert verständlicher Beratung durch Wissenschaft:

»Politik muss immer Wertungen einbringen, sie muss immer wieder versuchen, einen Ausgleich aller gesellschaftlichen Gruppen zu finden. Deshalb hängt die Entscheidung oft von mehr als allein von wissenschaftlichen Fakten ab. Aber sie sollte nicht konträr zu den wissenschaftlichen Gegebenheiten erfolgen. Das würde uns als Land ärmer machen. Deshalb bitte ich Sie, auch wenn es aus Ihrer Sicht vielleicht manchmal sehr zeitaufwendig ist: Widmen Sie sich auch weiter der Aufgabe der Politikberatung, versuchen Sie, die komplizierten Sachverhalte für uns so aufzuarbeiten, dass wir sie auch verstehen und einordnen können. Ich glaube, dass dieser Dialog auch der Wissenschaft insgesamt guttut, weil Wissenschaft letztlich auch Akzeptanz braucht. Wissenschaft muss auch einen bestimmten Stellenwert in der politischen Arbeit haben.«[1]

Wissenschaftlich anerkannte Sachverhalte stecken den Raum des Möglichen ab, innerhalb dessen der Weg zu einer nachhaltigen Wissensgesellschaft durch politische Entscheidungen mit breitem Rückhalt bei möglichst vielen Interessengruppen markiert werden soll. Aus Sicht eines Wissenschaftlers, der in den Jahren von 2010 bis 2020 als Präsident der Leopoldina auf vielfache Weise das Wirken der Bundeskanzlerin Angela Merkel beobachten konnte, möchte ich im Folgenden davon berichten, wie Wissenschaft und Politik an einigen Wegmarken zusammengewirkt haben.

Der offene Horizont: Nachhaltige Entwicklung und die Wissenschaft als globales öffentliches Gut

Güter, die wie das wissenschaftliche Wissen allen Menschen zur Verfügung stehen sollten und deren Gebrauch normalerweise keine Rivalität zwischen ihren Nutzern hervorruft, heißen »öffentliche Güter«. Zu ihnen werden traditionell etwa die innere und äußere Sicherheit gezählt. Seit einigen Jahrzehnten rücken öffentliche Güter in den Fokus, welche die Beziehung zwischen Mensch und Natur betreffen, beispielsweise eine nicht gesundheitsschädliche Umwelt oder der Schutz vor Infektionskrankheiten. Zudem setzt sich immer stärker die Einsicht durch, dass es bei zahlreichen öffentlichen Gütern kontraproduktiv wäre, sie nur auf nationalstaatlicher

Ebene zu betrachten. Dementsprechend wird der Begriff des globalen öffentlichen Gutes gegenwärtig intensiv diskutiert. Globalität heißt, dass der Nutzen solcher Güter die ganze Welt oder weite Teile der Welt umfassen kann. Zudem sollen globale öffentliche Güter generationenübergreifend zur Verfügung stehen. Folglich dreht sich die weltweite Debatte über nachhaltige Entwicklung um solche Güter wie die Menschenrechte, den Weltfrieden, die Biodiversität und – in Zeiten der Pandemie besonders wichtig – die Entwicklung und Verteilung von Impfstoffen, aber auch um das Wissen, das durch die Wissenschaft hervorgebracht wird.[2] Wissenschaft ist global. Sie ist eine Sprache, die wir mit anderen teilen können und die uns hilft, besser zu kommunizieren sowie nationale und kulturelle Grenzen hinter uns zu lassen.

Die Amtszeit von Angela Merkel hat wesentlich dazu beigetragen, dass sich die Einsicht in die herausragende Bedeutung von Wissenschaft als Produzentin eines der zentralen globalen öffentlichen Güter des 21. Jahrhunderts durchgesetzt hat. Das wichtigste Forum, um über eine gerechte Teilhabe an ihr zu diskutieren, sind die Vereinten Nationen (United Nations, UN), denn eine solche Diskussion erfordert – nicht nur in der Außenpolitik, sondern auch in der Wissenschaft – das größtmögliche Maß an Multilateralität. So hatte ich die Chance, im Scientific Advisory Board des UN-Generalsekretärs (UNSAB) gemeinsam mit 25 weiteren Wissenschaftlerinnen und Wissenschaftlern aus aller Welt zwischen 2014 und 2016 den damaligen Generalsekretär der UN Ban Ki-moon sowie die Spitzen der UN-Organisationen zu globalen Nachhaltigkeitsfragen zu beraten.[3] Mit dem interdisziplinären Gremium sollte die Schnittstelle zwischen Wissenschaft und Politik gestärkt und hierdurch sichergestellt werden, dass aktuelle wissenschaftliche Erkenntnisse in die politisch-strategischen Diskussionen der Vereinten Nationen Eingang finden. Ziel des UNSAB war, die Verbindungen zwischen Wissenschaft und Politik zu stärken, Prioritäten in Forschung und Politik zu empfehlen und zu aktuellen Themen zu beraten sowie Wissenslücken und Forschungsbedarf zu identifizieren. Diese Aktivitäten wurden von der Bundeskanzlerin stets mit großem Interesse verfolgt und unterstützt.

Zu zahlreichen Themen, die im UNSAB Beratungsgegenstand waren, hat die Leopoldina in Zusammenarbeit mit nationalen und internationalen Partnern das wissenschaftliche Wissen im Sinne der möglichst umfassenden Implementierung dieses globalen Gutes in die öffentliche Diskussion eingebracht, um die Faktenbasis der politischen Entscheidungsfindung zu stärken. Dies geschieht zum Beispiel im Rahmen und im Umfeld der Beratung der G7- und G20-Gipfel durch die nationalen Wissenschaftsakademien der beteiligten Staaten. Bereits ein Jahr vor ihrer Ernennung zur Nationalen Akademie der Wissenschaften, also 2007, hatte die Leopoldina unter ihrem damaligen Präsidenten Volker ter Meulen den Beratungsprozess der Akademien im Vorfeld des G8-Gipfels in Heiligendamm vorbereitet. Damals legten die Wissenschaftsakademien auf Anraten Angela Merkels erstmals Stellungnahmen zu den Themen Nachhaltigkeit, Energieeffizienz, Klimaschutz und Schutz geistigen Eigentums vor.[4] Im Rückblick war dies der Startschuss zur Beteiligung Deutschlands an der internationalen wissenschaftsbasierten Beratung durch Akademien – mittlerweile eines der wichtigsten Handlungsfelder der Leopoldina.

Ein Beispiel für das bei Nachhaltigkeitsfragen erforderliche Ineinandergreifen der nationalen und der internationalen Ebene sind die Probleme und Perspektiven der Entwicklung von Wirkstoffen für Medikamente wie Antibiotika. Die Leopoldina hatte bereits im Januar 2013 zusammen mit der Akademie der Wissenschaften in Hamburg eine Stellungnahme veröffentlicht, die u. a. die Einrichtung eines runden Tisches zu Antibiotikaresistenzen und zur Entwicklung neuer Antibiotika empfahl.[5] Im November 2013 versammelten sich erstmals Vertreterinnen und Vertreter aus Wissenschaft, Politik und Wirtschaft an diesem runden Tisch, und vermutlich hat dies dazu beigetragen, dass das Thema Antibiotika Eingang in den Koalitionsvertrag der damaligen Bundesregierung gefunden hat. Aber gerade bei einem solchen Thema muss global agiert werden. Hierfür war die Vorbereitung des Treffens der G7-Regierungs- und Staatschefs im Jahr 2015 ein Meilenstein. In dessen Vorfeld haben sich auch die nationalen Wissenschaftsakademien der G7-Staaten zur Frage der Antibiotikaresistenzen geäußert und eine Stellungnahme erarbeitet, die im April 2015 Bundeskanzlerin Angela Merkel übergeben wurde und deren Anregungen sich im Schlussdokument des damaligen Gipfels wiederfinden.[6] Das wirkte sich auch auf die Themenwahl aus, als die Leopoldina zwei Jahre später zum ersten Mal für einen G20-Gipfel beratend tätig war, und zwar zu den Herausforderungen der globalen Gesundheit, was später in der Global-Health-Strategie der Bundesregierung seinen Niederschlag fand.[7] Angesichts der damals aktuellen Ebolapandemie und der gegenwärtigen Coronapandemie bedarf es keiner weiteren Erläuterung, um die große Relevanz dieser Aktivitäten zu belegen.

Dass das globale öffentliche Gut der Wissenschaft auch im internationalen politischen Austausch positive Konsequenzen zeitigen kann, belegt die Wissenschaftsdiplomatie, die Brücken zwischen Gesellschaften bauen und gemeinsame Strategien zur Überwindung globaler Herausforderungen entwickeln will. So ist die Leopoldina am Westbalkan-Prozess beteiligt, einer gemeinsamen Initiative 16 europäischer Länder und der Europäischen Kommission. Der Prozess unterstützt die Heranführung der Westbalkanländer an die Europäische Union und deren EU-Beitritt sowie die Intensivierung der regionalen Zusammenarbeit. Bundeskanzlerin Angela Merkel trat an die Leopoldina mit der Bitte heran, die Federführung im Bereich Wissenschaft, Bildung und Gesellschaft zu übernehmen. Vor dem Hintergrund der großen Bedeutung dieses Vorhabens der Wissenschaftsdiplomatie brachte die Leopoldina zentrale nationale Stakeholder der Bildungs- und Wissenschaftssysteme in einer neugegründeten Plattform zusammen, in der sogenannten Gemeinsamen Wissenschaftskonferenz des Westbalkan-Prozesses.

Der innere Maßstab: Freiheit und Verantwortung der Wissenschaft

Die Anerkennung wissenschaftlicher Erkenntnisse als globales öffentliches Gut geht einher mit dem Schutz der Wissenschaftsfreiheit, der in Deutschland durch Artikel 5 Absatz 3 des Grundgesetzes gewährleistet ist. Auch diejenigen, die nachdrücklich fordern, dass die Wissenschaft sehr viel umfassender als bisher gezielt zur nachhaltigen Entwicklung beitragen solle, müssen sich dafür einsetzen, dass es keinerlei direkte Eingriffe in die Freiheit der Forschung geben darf, welche die Faktenbasis für politische Entscheidungen im Interesse einzelner Gruppen verfälschen oder zumindest verzerren würden. Der Verlauf der jahrzehntelangen öffentlichen Debatte um den Einsatz der grünen Gentechnik in Deutschland, die sich in der Diskussion um die Werkzeuge der Genchirurgie fortsetzt, zeigt, wie wichtig es ist, den Freiheitsraum für die Grundlagenforschung auf diesen Gebieten zu schützen.

»Freiheit ist unser System« – so lautete das treffende Motto, unter dem die Allianz der deutschen Wissenschaftsorganisationen den 70. Geburtstag der Ratifizierung des Grundgesetzes feierte.[8] Über den individuellen Forscher hinausgehend, umfasst die Wissenschaftsfreiheit nämlich die Selbstorganisation des Wissenschaftssystems. Die Selbstverwaltungsorgane der Wissenschaft sind berechtigt, Entscheidungen zu treffen, die für das Wissenschaftssystem oder bestimmte seiner Teile bindende Geltung besitzen. Wenn Forscherinnen und Forscher in der Wissenschaft autonom über ihre Ressourcen entscheiden und gleichsam »Wissenschaftsinnenpolitik« betreiben, dann führt dies am wahrscheinlichsten zu dem gesamtgesellschaftlich erwünschten und auch durch die staatliche Wissenschaftspolitik angestrebten Resultat: nämlich das öffentliche Gut der wissenschaftlichen Erkenntnis auf die bestmögliche Weise der Allgemeinheit zur Verfügung zu stellen. Die Geschichte von Staaten wie der DDR, in der Angela Merkel Physik studierte, promoviert wurde und an der Akademie der Wissenschaften tätig war, belegt die

negativen Konsequenzen einer Einschränkung der Wissenschaftsfreiheit nicht nur für Forschung und Lehre, sondern für das gesamte
gesellschaftliche Leben.

Die Freiheit der Wissenschaft verwirklichen zu können, bedarf einer in materieller wie ideeller Hinsicht verlässlichen Wissenschaftspolitik. Für die Amtsübergabe am 20. Februar 2020 an meinen
Nachfolger Gerald Haug hatte sich auch Bundeskanzlerin Merkel
als Ehrengast angekündigt. Der rechtsextremistische Terroranschlag
in der Nacht zuvor in Hanau verhinderte ihr Kommen. Der Staatsminister bei der Bundeskanzlerin Hendrik Hoppenstedt hielt stattdessen die Rede Angela Merkels. Eine Passage blickt auf die Wissenschaftspolitik ihrer Amtszeit zurück und verknüpft dies prägnant
mit einem Ausblick auf die Zukunft:

»Wir haben das vorgegebene Ziel der ›Strategie Europa 2020‹,
3 % des Bruttoinlandsproduktes in Forschung und Entwicklung zu
investieren, bereits 2017 erreicht. […] 2018 ist dieser Anteil noch-
mal auf über 3,4 % gestiegen. Nun streben wir, also Staat und Wirtschaft gemeinsam, mit 3,5 % bis 2025 einen noch höheren Anteil an
[…]. Letztes Jahr haben wir die drei großen Wissenschaftspakete unter Dach und Fach gebracht. In den kommenden zehn Jahren werden
wir Hochschulen und Forschungseinrichtungen zusätzlich mit über
160 Milliarden Euro unterstützen. Und mit der Exzellenzstrategie
stärken wir weiterhin die universitäre Spitzenförderung. Jedes Jahr
stellen Bund und Länder für die Exzellenzstrategie über eine Milli-
arde Euro bereit. Dass Forschungseinrichtungen und Hochschulen
also eine hohe Planungssicherheit auch für die nächsten Jahre haben,
ist insbesondere mit Blick auf die Grundlagenforschung wichtig. Sie
gestaltet sich naturgemäß oft langwierig und aufwändig. Doch nur
wenn wir in langen Zeiträumen denken, können sich uns immer
wieder auch ungeahnte Perspektiven eröffnen. Und genau deshalb
legen wir in Deutschland großen Wert auf ein breites Spektrum, sowohl an grundlegender als auch angewandter Forschung.«[9]

Flankiert wurde diese Budgetsteigerung von einem intensiven offenen Austausch zwischen Wissenschaft, Wirtschaft und Politik über

wünschenswerte und realistische Zielsetzungen in der Entwicklung des deutschen Wissenschaftssystems. Beispiele für erfolgreiche, regelmäßig stattfindende Foren des Austauschs sind der Innovationsdialog zwischen Bundesregierung, Wirtschaft und Wissenschaft, der seit 2010 von einer Geschäftsstelle bei acatech – Deutsche Akademie der Technikwissenschaften betreut wird,[10] sowie der Forschungsgipfel – Perspektiven für Wirtschaft, Wissenschaft und Innovation, der seit 2015 vom Stifterverband für die Deutsche Wissenschaft, der Expertenkommission für Forschung und Innovation, der Volkswagen-Stiftung und der Leopoldina ausgerichtet wird.[11]

Das vertrauensvolle Gespräch: Wissenschaftsbasierte Beratung und die Renaissance der Wissenschaftsakademien

Die Politik benötigt für die Erfüllung ihrer Aufgaben die Wissenschaft. Dies trifft auf alle großen Herausforderungen zu, vor denen Deutschland bei der Sicherung seiner materiellen und immateriellen Lebensbedingungen steht. Der wissenschaftsbasierten Beratung von Politik und Öffentlichkeit wächst immer dann, wenn der wissenschaftliche Fortschritt einen erheblichen Einfluss auf unsere Gesellschaft nimmt, eine besondere Bedeutung für den verantwortungsvollen Umgang mit Forschungsresultaten zu. Folgerichtig ist es das Ziel der wissenschaftsbasierten Beratung, die Ressourcen der Forschung für die Identifikation, Bewertung und Umsetzung politischer Maßnahmen zu erschließen.

Durch den steigenden Bedarf an wissenschaftsbasierter Beratung tritt ein traditionsreicher Typus wissenschaftlicher Institutionen wieder stärker in die Aufmerksamkeit von Politik und Öffentlichkeit – selbst in den angelsächsischen Ländern, in denen das Modell des einem politischen Amt zugeordneten Science Advisors vorherrscht. Dank ihrer oft mehrhundertjährigen Erfahrung als gesellschaftlich exponierte Repräsentanten autonomer und hervorragender Wissenschaft, ihres fächerübergreifenden Aufbaus und ihrer internationalen Vernetzung erscheinen die Wissenschaftsakademien als aussichtsreiche Kandidaten dafür, die anspruchsvollen Voraussetzungen für wissenschaftsbasierte Beratung zu erfüllen.

Die Deutsche Akademie der Naturforscher Leopoldina ist im Jahre 2008 auf Initiative der damaligen Forschungsministerin Annette Schavan zur Nationalen Akademie der Wissenschaften ernannt worden und koordiniert seitdem die Beratung von Politik und Öffentlichkeit durch die deutschen Wissenschaftsakademien. Wissenschaftsbasierte Beratung – die wie die Wissenschaft selbst ein globales öffentliches Gut ist – benötigt angesichts der Länder und Kontinente übergreifenden gesellschaftlichen Herausforderungen eine solche hochgradige Internationalität der Institutionen, die sie durchführen. Folgerichtig vertritt die Leopoldina die deutsche Wissenschaft im weltweiten Dialog der Akademien.

Die Beziehungen zwischen wissenschaftsbasierter Beratung, öffentlicher Meinungsbildung und politischer Entscheidungsfindung sind während der Amtszeit Angela Merkels immer dialogischer, ja vielstimmiger geworden. Eine grundlegende Voraussetzung dafür, dass diese begrüßenswerte Entwicklung tatsächlich zu einer stärkeren Präsenz wissenschaftlicher Erkenntnisse wider die Ausbreitung von Fake News führt, lautet: Es muss ein breites gesellschaftliches Vertrauen in die Arbeitsweise und die Ergebnisse der Wissenschaft geben. Daher müssen sich Akademien dafür einsetzen, ein solches Vertrauen zu schaffen – nicht nur durch allgemeine Aufklärung über Arbeitsweise und Erkenntnisansprüche der Wissenschaft, sondern auch durch die konkrete Ausgestaltung ihrer wissenschaftsbasierten Beratung.

Die Leopoldina hat durch langfristiges Engagement und die stetige Dialogbereitschaft der Bundesregierung auf wichtigen Themenfeldern sich als Institution mit unabhängiger Expertise öffentlich bekannt gemacht und damit Vertrauen in ihre Stellungnahmen und Empfehlungen geschaffen. Dies ist sowohl auf lebenswissenschaftlich-biomedizinischen Themenfeldern wie der Anwendung der Genschere und der Reproduktionsmedizin als auch in der

Auseinandersetzung mit gesellschaftlichen Herausforderungen wie der Energiewende, dem Klimawandel und dem Umweltschutz geschehen. Hierbei haben vor allem – in den Jahren vor der Pandemie – die Leopoldina-Stellungnahmen »Präimplantationsdiagnostik (PID) – Auswirkungen einer begrenzten Zulassung in Deutschland« (2011) und »Bioenergie: Möglichkeiten und Grenzen« (2013) sowie die Ad-hoc-Stellungnahme »Saubere Luft – Stickstoffoxide und Feinstaub in der Atemluft: Grundlagen und Empfehlungen« (2019) eine besonders große Wirkung in Politik und Öffentlichkeit entfaltet.[12]

»Ein gastlicher Ort für den freien Geist« in der Wissensgesellschaft

Vom Status der Wissenschaft als globalem öffentlichen Gut über Wissenschaftsfreiheit als Grundlage eines sich dynamisch entwickelnden Wissenschaftssystems bis zur wissenschaftsbasierten Beratung als zeitgemäßem Beitrag der Akademien – alle drei Themen benennen Formen des Zusammenwirkens von Wissenschaft und Politik, die für die nachhaltige Entwicklung moderner Wissensgesellschaften von großer Relevanz sind. Eine Akademie wie die Leopoldina kann ein Forum für den hierfür erforderlichen Dialog und damit »ein gastlicher Ort für den freien Geist«[13] sein, wie es der damalige Bundespräsident Horst Köhler am 14. Juli 2008 beim Festakt zur Ernennung der Leopoldina zur Nationalen Akademie der Wissenschaften formulierte – Bundeskanzlerin Angela Merkel hat diesen Ort bei ihren zahlreichen Besuchen in Halle (Saale) als ein solches Forum genutzt.

Eine unabhängige Wissenschaft, die zum Dialog einlädt: Gerade während der Coronapandemie erweist sich diese Haltung als unabdingbare Voraussetzung dafür, dass die Wissenschaft ihren Beitrag zum Kampf gegen das Virus bestmöglich leisten kann. Die Leopoldina hat seit März 2020 eine Reihe von Ad-hoc-Stellungnahmen

zur Pandemie vorgelegt, die medizinische und gesundheitspoliti-
sche, wirtschaftliche und soziale, edukative und psychologische Aspekte der Krise behandeln und auf ein großes Echo in Öffentlichkeit
und Politik stießen.[14] Folgerichtig setzt der amtierende Präsident der
Leopoldina Gerald Haug auf die Stärkung antizipativer Formen der
wissenschaftsbasierten Beratung, um schnell und flexibel auf aktuelle Probleme und Krisen reagieren zu können, ohne Abstriche an Verlässlichkeit und Qualität der Beratung machen zu müssen.[15]

Dies weist darauf hin, dass sich die wissenschaftsbasierte Beratung
mit den gesellschaftlichen Herausforderungen, denen sie sich widmet, weiterentwickelt. Darin unterscheidet sich die Kunst des Bera-
tens nicht von der hohen Schule der Politik. Beide sind angewiesen
auf einen Geist des wechselseitigen Verständnisses, der Neugier auf
den Dialogpartner mit moderierender Gesprächsführung verknüpft.
Bundeskanzlerin Angela Merkel prägte zukunftsweisend diese dia-
logische Kultur mit ihrem stets offenen Ohr für die Wissenschaft.[16]

Versöhnung! Was es braucht, um anderen und nicht sich selbst zu dienen

Von Marianne Birthler

Eine der von mir bewunderten Eigenschaften von Angela Merkel ist ihre Art des Umgangs mit Beleidigungen, Häme, übler Nachrede und Abwertungen. Anscheinend ungerührt geht sie darüber hinweg, zuckt allenfalls mit den Schultern oder schaut, als zum Beispiel Trump sich weigert, ihr die Hand zu reichen, oder als Putin sie ganz bewusst mit einem großen Hund empfängt, mit einem kleinen Lächeln in die Kamera. Professionell ist das, und natürlich kommt ihr dabei zu Hilfe, genau unterscheiden zu können, was ihr persönlich gilt und was ihrer öffentlichen Rolle und ihrer Macht. Und ganz bestimmt ist sie in der Lage zu unterscheiden, ob es sich um rüpelhaftes Machoverhalten handelt oder um ausgetüftelte Strategien mit dem Ziel, sie zu schwächen. Rätselhaft bleibt, was sie im Innern mit all dem Müll macht. Vergessen? Das Gedächtnis von Angela Merkel ist berühmt. Abspeichern und später heimzahlen? Rache gehört nicht zu ihrem Repertoire. Alles an sich abtropfen lassen, als hätte sie eine Teflonhaut? Dafür ist sie zu aufmerksam. Bleibt die Vermutung einer inneren Stärke, die auf den eigenen Wert und die eigenen Werte vertraut, mit sich selbst, der eigenen Geschichte und den eigenen Schwächen versöhnt. Ein Selbstwertgefühl dieser Art ist stärker als Angriffe und Hass, denn diese wurzeln in mangelnder Souveränität und Schwäche. Dennoch kosten solche Kämpfe Kraft, und auf die Dauer ermüden sie.

Warum die Aussöhnung von Ost und West?

Immer wieder werde ich angesichts des komplizierten Verhältnisses zwischen Ost- und Westdeutschen gefragt, ob es denn nicht eine Aussöhnung brauche, und wie man diese denn erreiche. Aussöhnung? Zwischen Ost und West? Wieso denn? Wir haben 89 doch nicht gegen den Westen gekämpft, sondern gegen den Osten, also gegen die SED!

Wenn es um Versöhnung geht, sollten wir von denen sprechen, die im Gefängnis waren oder im Speziallager. Von denen, deren Leben und Umfeld von der Stasi »zersetzt« wurde. Von den Jugendlichen, die kein Abitur machen oder nicht studieren durften oder deren Leben in Torgau gebrochen wurde, dem schlimmsten Gefängnis für Kinder und Jugendliche. Und auf der anderen Seite von denen, die ihre Freundinnen und Freunde an die Stasi verraten haben, von den Vernehmern, den Richtern, den Pseudoanwälten, den Kaderleitern und Schulleitungen. Und den Funktionären der damals machthabenden Partei, die all das zu verantworten hatte und bis heute, wenn auch unter anderem Namen, fortexistiert.

Hier wäre Versöhnung vonnöten. So dachten wir damals zu Zeiten des runden Tisches. Dafür müssten dann allerdings die Karten auf dem Tisch liegen, müsste also all das ausgesprochen werden, was es an Qualen, Verrat, Demütigung und politischer Justiz gegeben hatte, und wer wofür die Verantwortung trug. Dafür müssten die Täter den aufrichtigen Wunsch nach Aussprache und Vergebung haben. Und selbstverständlich müssten dann ihre Opfer frei sein zu entscheiden, ob sie vergeben oder Anzeige erstatten oder es damit genug sein lassen, dass sie jetzt die Wahrheit darüber erfahren haben, was ihr Leben beschädigt oder zerstört hat. Auf dieser Grundlage, dachten wir, könnte Versöhnung möglich werden.

Es kam anders. Von Begegnungen zwischen Tätern und Opfern, die die Bezeichnung Versöhnung verdient hätten, ist wenig bekannt. Von den Tätern zeigte sich, abgesehen von sehr wenigen Ausnahmen, niemand einsichtig oder reuevoll. Die Opfer hatten genug damit zu tun, ihr Leben neu zu ordnen, sich um ihre juristische Rehabilitierung und eine magere Opferpension zu bemühen. Ab und an hörte ich von Einzelnen, die auf ihren Vernehmer zugegangen waren oder auf die Freundin, die sie verraten hatte. Manchmal entstand daraus ein Gespräch, manchmal bestand die Antwort nur aus Schweigen. Auch die Kirche versuchte hier und da, Täter-Opfer-Gespräche zu organisieren. Ihr Erfolg war äußerst begrenzt.

Wir hätten es eigentlich wissen können, mit Blick auf andere Länder, die Diktaturen oder Bürgerkriege überwunden hatten, erst recht mit Blick auf Deutschland und seinen Umgang mit den Verbrechen der Nationalsozialisten. Und so erlosch die schöne Idee eines gesellschaftlichen Versöhnungsprozesses. Dazu trug auch bei, dass Täter und Verantwortliche leugneten oder verharmlosten, was das Zeug hielt, jedenfalls nicht im Traum daran dachten, Reue zu zeigen oder um Vergebung zu bitten.

Das bundesdeutsche Recht, insbesondere das Strafrecht, erwies sich als denkbar ungeeignet, das Unrecht einer Diktatur aufzuarbeiten. Das ist niemandem vorzuwerfen, denn dafür war es nicht gemacht. In der DDR waren zahlreiche Gesetze verabschiedet worden, die Recht zu Unrecht machten, beispielsweise waren Kontakte zu Westmedien verboten, das Sammeln von Zeitungsausschnitten und natürlich auch Fluchtversuche. Derartige Prozesse und Verurteilungen konnten nach dem Ende der DDR nicht strafrechtlich verfolgt werden: Die »Taten« waren in der DDR strafbar, also konnte Strafjustiz nachträglich nicht verurteilt werden. Es wäre im vereinten Deutschland möglich gewesen, Gesetze so zu verändern oder zu ergänzen, dass dieses rechtsförmige Unrecht der DDR, das oft gegen Menschenrechte verstieß, nicht als akzeptable Norm galt. Doch dafür mangelte es an politischem Willen. Und so wurden Betroffene zwar rehabilitiert, die Staatsanwälte oder Richter jedoch kamen ungeschoren davon.

Aber warum, wurde oft mit einem gewissen vorwurfsvollen Grundton gefragt, gab es bei uns keine Versöhnungspolitik – so wie in Südafrika, als nach dem Ende der Apartheid unter großer öffentlicher Teilnahme die Truth and Reconciliation Committees tagten. Inzwischen wissen wir, dass nur ein kleiner Bruchteil der Vergehen in diesen Kommissionen zur Sprache kam. Strafverfahren fanden nicht statt, und die schriftliche Hinterlassenschaft des Apartheid-Regimes blieb ebenso unter Verschluss wie die Protokolle der Kommissionen. Das war der Preis für das gewaltfreie Ende der Apartheid.

»Vielleicht ist Versöhnung ein viel zu großes Wort«, sagte mir Bischof Markus Dröge im Gespräch, »es wäre ja schon viel erreicht, wenn wir es irgendwie miteinander aushalten könnten«. Ob der Begriff der Versöhnung überhaupt als politisches oder gesellschaftliches Konzept taugt, steht dahin. Für mich bedeutet er eher individuelle Erfahrung, persönliches Wunder, weiser Abschied vom Vorwurf. Allerdings kann Politik die Voraussetzungen für Versöhnungsprozesse schaffen und Zeichen dafür setzen.

Die offenen Archive der Staatssicherheit standen, vor allem in den 1990er Jahren, immer unter dem Verdacht, dass durch sie Hass geschürt und ein versöhnliches Miteinander der Menschen erschwert würde. Die Erfahrung lehrt nach drei Jahrzehnten und Hunderttausenden von Akteneinsichten etwas anderes. Auch wenn es für viele schwer war zu lesen, wer sie verraten hatte, wie übel die Staatssicherheit sie und ihre Familien behandelt hatte oder wie sorgfältig berufliche Misserfolge inszeniert worden waren – am Ende war es für fast alle wichtiger, die Wahrheit zu kennen als mit ungeklärten Fragen und Verdacht zu leben. Dass die zugänglichen Stasiakten auch ermöglichten, einen böswilligen Verdacht, jemand hätte früher für die Stasi gearbeitet, auszuräumen, ist vielen nicht bewusst. Und das Wichtigste: Viele Opfer konnten erst jetzt beweisen, was für Unrecht ihnen angetan worden war. Und wie oft konnte das Misstrauen, zerstörerische Begleiterscheinung einer jeden Diktatur, ausgeräumt werden, weil sich beim Studium der Akten herausstellte, dass Nachbarn, Kollegen oder Angehörige integer gewesen waren und, anders als befürchtet, niemanden und nichts verraten hatten.

Niemand weiß, wie groß die Zahl derer ist, denen die Akten geholfen haben, ihre Verfolgungsgeschichte zu klären und irgendwann auch hinter sich zu lassen. Vielleicht lässt sich diese Erfahrung Versöhnung mit sich selbst nennen, Versöhnung mit der eigenen Geschichte. Und nicht zu vergessen: Millionen Menschen haben mittels der offenen Archive durch eigene Erfahrung oder die ihrer Freunde und Angehörigen gelernt, dass es gut ist, die Vergangenheit nicht zu beschweigen, sondern sich mit ihr zu beschäftigen und mit anderen darüber zu reden, mit vertrauten Freunden oder sogar mit einstigen Gegnern. Dies kommt der Idee von Versöhnung ziemlich nahe.

Die Überwindung europäischer Feindschaften

Eine ganz andere Kategorie bilden kollektive Versöhnungserfahrungen, die über Schlachtfelder und zerbombte Städte hinweg ihren Anfang nahmen und eine neue Epoche einleiteten. Die Europäische Union konnte nur entstehen, weil die Länder Westeuropas nach Jahren eines furchtbaren Krieges dem mörderischen Feind Deutschland die Hand zur Versöhnung reichten. Das waren zunächst politische Entscheidungen, nicht zuletzt befördert durch weltpolitische Interessen und neue gemeinsame Gegner. Aber allmählich wurden von den Verträgen, den symbolischen Gesten der Staatsmänner und eigens errichteten Institutionen wie beispielsweise dem deutsch-französischen Jugendwerk auch die Köpfe und Herzen der Menschen erreicht, deren Väter sich eine Generation zuvor noch auf dem Schlachtfeld gegenüberstanden, so wie zuvor ihre Großväter. Die Europäische Union gründet auf dieser durch wachsendes Vertrauen und Zuversicht entstandenen Gemeinsamkeit.

Allerdings waren die mittel- und osteuropäischen Länder an diesem jahrzehntelangen Prozess nicht beteiligt. Und sie warten bis heute darauf, dass Westeuropa ihre Geschichte, vor allem ihr Leiden während der kommunistischen Herrschaft, als Teil der europäischen Geschichte wahrnimmt und respektiert. Wer weiß schon in Wien, Paris oder Hamburg davon, dass Millionen Menschen aus dem

Baltikum, der Ukraine oder den mittelasiatischen Ländern nach Sibirien verschleppt wurden und dort zumeist verhungerten und erfroren? Und in welchen europäischen Schulbüchern spielen die vielen, stets blutig niedergeschlagenen Aufstände gegen die kommunistische Herrschaft eine Rolle? Die Anerkennung erlittenen Unrechts, der Respekt gegenüber dem Freiheitswillen und die Erinnerung an jene, die Widerstand leisteten, sind wichtige Bestandteile eines neuen, demokratischen Gemeinwesens. Und die wechselseitige Anerkennung der jeweils anderen Geschichte einer Nation und des Schicksals ihrer Bürgerinnen und Bürger ist eine der Voraussetzungen für ein künftiges Europa, das gemeinsame Werte zur Grundlage hat.

Konflikte zwischen Ländern, Regionen und Bevölkerungsgruppen haben fast immer eine lange Geschichte. Damit ist schon gesagt, dass ein Konflikt völlig unterschiedlich beschrieben wird, je nachdem von welcher Seite aus. Und natürlich gibt es oft nicht nur zwei, sondern noch viel mehr Seiten, die für sich in Anspruch nehmen, die Vorgeschichte wahrheitsgemäß weiterzugeben. Hinzu kommen Legenden, die der eigenen Entlastung dienen und/oder der Aufrechterhaltung eines Feindbildes. Auch interessengeleitete Halbwahrheiten und handfeste Geschichtslügen spielen hier eine Rolle – die Mächtigen aller Zeiten wussten sich ihrer geschickt zu bedienen.

Im Erleben von Konflikten mischen sich Vergangenheit und Gegenwart: Da, wo die Erfahrung früherer Traumata, manchmal über Generationen weitergegeben, durch andauernde Benachteiligung oder Diskriminierung immer wieder aktualisiert, also neu erlebt wird, erscheint der Konflikt zumeist als unauflösbar und die gegnerischen Parteien als unversöhnlich.

Die Grenze, die Deutschland teilte, war nur ein kleiner Teil des Eisernen Vorhangs, der Europa zerschnitt, von der Barentssee bis zum Schwarzen Meer. Heute verläuft dort der Iron Curtain Trail, ein 10 000 Kilometer langer Radweg. Seine Vorbilder waren der Berliner Mauerradweg und der Weg entlang der deutsch-deutschen Grenze. An dem nun europäischen Projekt arbeiten die meisten der 20 Länder, an deren Grenzen entlang der Weg verläuft, aktiv mit.

Es gibt ehrgeizige Radfahrer, die bereits den ganzen Weg abgefahren sind, andere begnügen sich mit einem Abschnitt oder nehmen sich in jedem Sommer eine neue Teilstrecke vor. Zehntausend Kilometer, die früher trennten und heute verbinden. Die uns an das geteilte Europa erinnern und sinnlich erfahren lassen, dass es diese Grenze nicht mehr gibt. Auch so kann Versöhnung aussehen.

Der durch Deutschland verlaufende Teil des Iron Curtain Trail führt über rund 1500 Kilometer von Usedom entlang der Ostseeküste bis Lübeck und von dort bis zum Dreiländereck bei Hof. Der Weg ist beliebt und bereichert durch viele Stationen und Informationen, die sowohl an die tödliche Grenze erinnern als auch an deren Überwindung und Abbau. Unfreiwillig hinterließen die tödlichen Grenzanlagen und Todesstreifen unberührte, heute geschützte Biotope.

Das grüne Band versteckt die frühere tödliche Grenze nicht, sondern es bewahrt die Erinnerung an sie und ihre Opfer. Zugleich aber betört es mit den wechselnden Landschaften und erneuert die Freude daran, dass die Menschen links und rechts von ihm in Freiheit leben und einander wieder nähergerückt sind.

Für mich ist das geradezu ein Modell: Das Böse nicht zu vergessen und sich gleichzeitig oder gerade deswegen am Guten erfreuen zu können.

Neue Grenzen in den Köpfen?

Das ist umso bedeutsamer, als diese Grenze heute wieder stärker ins Bewusstsein gerückt ist. Es ist nicht so sehr die Grenze von damals, sie hat auch keinen festen Ort. Sie besteht aus Tarifunterschieden, anderen Vermögensverhältnissen, unterschiedlichen kulturellen und gesellschaftlichen Prägungen, Differenzen im Wahlverhalten, verletzter Würde, Scham, Stolz und Wut. Und sie hat ein Gefälle: Wer nach dem Stand der Einheit fragt oder Bücher darüber schreibt, schaut vor allem in den Osten: Wie weit ist man denn heute so in Leipzig, Anklam oder in Sömmerda? Schon im Westen angekommen? Ganz klar – der Standard ist der Westen. Allerdings ist damit seine sonnigste Seite gemeint und nicht die klamme Stadt, deren Schwimmbad schon seit zehn Jahren geschlossen ist. Auch nicht Pforzheim, wo die AfD bei den Landtagswahlen 2016 mit fast 25 Prozent ein Direktmandat gewann.

Nach drei Jahrzehnten kenne ich fast alle diesbezüglichen Fragen aus Interviews, Podiumsdiskussionen und privaten Diskussionsrunden, hierzulande und im Ausland: Wie ich den Stand der deutschen Einheit beurteile. Welche Unterschiede es noch gibt und warum. Ob die Deutschen zusammengewachsen seien. Was ich von den Wahlergebnissen im Osten halte. Warum die Ostdeutschen sich immerzu leidtun. Ob es nicht endlich genug damit sei, immer vom Osten und vom Westen zu sprechen, denn das spalte doch nur. Ob andere Mauern, die soziale zum Beispiel, das Land nicht noch viel mehr trennten als die frühere Grenze. Ob die Ostfrauen nicht viel emanzipierter gewesen seien. Und ob es stimme, dass sie ihre Sexualität freier auslebten. Was ich von der DDR gern bewahrt hätte. Ob ich vom Westen nicht auch enttäuscht sei. Ob ich traurig sei, dass die Ideale der Bürgerbewegung verloren gegangen seien. Ob es nicht schade sei, dass kein dritter Weg ausprobiert worden ist. Ob es auch von mir »eine Akte« gebe. Ob ich mir vorstellen könne, wie unangenehm die Grenzkontrollen gewesen sind.

Diese Fragen werden natürlich überwiegend Menschen mit ostdeutschen Wurzeln wie mir gestellt, erst recht solchen, die sich in den zurückliegenden Jahren aus gutem Grund viel mit der SED-Diktatur beschäftigt haben. Doch sie sind eine Falle. Je bereitwilliger ich mich darauf einlasse, desto mehr werden gestellt. Wie in dem Märchen vom süßen Brei. Das ging dann so lange, bis es hieß, dass »diese Bürgerrechtler« sich eigentlich nur für ihre eigene Vergangenheit und die Stasi interessieren. Viele sind dieser Fragen inzwischen müde, ich auch, meistens jedenfalls. Außerdem lassen sie sich ebenso wie die vielen, oft sehr gegensätzlichen Antworten in zahlreichen Büchern, Zeitungen und im Internet nachlesen.

Heute stehen andere Fragen und Probleme im Vordergrund. Unzufriedene aus sehr unterschiedlichen Milieus der Bevölkerung haben sich zusammengetan, um gegen eine »Coronadiktatur« zu protestieren. Die Motive dafür sind so unterschiedlich wie die Beteiligten und reichen von Impfgegnern über Verschwörungsgläubige bis hin zu rechtsextremen und gewaltbereiten Gruppen. Es sieht nicht so aus, als würde sich diese Bewegung mit dem Ende der coronabedingten Einschränkungen auflösen. Wir kennen sie schon aus der Pegidabewegung und der Anhängerschaft der AfD, und vieles spricht dafür, dass die Themen der Demonstrationen und der entsprechenden Kanäle in den sozialen Medien sich nach der Epidemie zwar verändern mögen, nicht aber die grundsätzlich feindselige Haltung gegenüber einem demokratischen Staat, seinen Institutionen und den gewählten Vertreterinnen und Vertretern. Die Fülle von hasserfüllten Botschaften, Diffamierungen und Lügen zielt ja nicht nur auf die Bundesrepublik, sondern trägt deutliche antisemitische und rassistische Züge und verharmlost die Diktaturengeschichte Deutschlands, indem Impfgegner Judensterne tragen, um sich als Opfer zu stilisieren, oder aber eine Art von Überwachungsstaat fantasiert wird, der wie SED und Stasi arbeitet.

Wie gefährlich diese Entwicklung ist, darüber gehen die Meinungen auseinander. Auch hinsichtlich der Frage, ob wir es hier mit einem gesamtdeutschen Phänomen zu tun haben oder überwiegend mit einem ostdeutschen.

Der Westen neigt dazu, Gewalt, Hass, Fremdenfeindlichkeit und den Hang zu autoritären Führungen vor allem im Osten zu verorten. Es spricht einiges dafür, dass dies auch dem Versuch dient, sich selbst zu entlasten. Andererseits gibt es durchaus viele Belege dafür, dass rechtsextreme Einstellungen im Osten stärker verbreitet sind. So stellte der 2016 von der sächsischen Landesregierung veröffentlichte »Sachsen-Monitor« fest, dass 58 Prozent der Sachsen glaubten, Deutschland sei »durch die vielen Ausländer in einem gefährlichen Maß überfremdet«. Bundesweit lag die Zustimmung der Bevölkerung zu diesem Satz bei einem Drittel.

Aus anderen östlichen Bundesländern existieren Berichte über rechte Netzwerke und Vereine, die in bestimmten Stadtteilen über die Meinungshoheit verfügen. Beratungsstellen für Opfer rechtsradikaler Gewalt melden deutlich steigende Zahlen von Gewalttaten gegen »Linke«, Menschen mit Migrationshintergrund und immer häufiger auch gegen Jüdinnen und Juden. Hier zeigen sich nicht nur die Spuren der Verunsicherung und Existenzangst in den 1990er Jahren, sondern auch einer Prägung durch jahrzehntelanges Leben in einer Diktatur, in der Selbstbehauptung und Eigensinn nicht gefragt waren. Mehrere Generationen hatten keine Gelegenheit zu lernen und zu erfahren, wie eine Demokratie funktioniert. Alles, was sie früher entbehrt hatten, wurde zum Versprechen eines Lebens in Freiheit und Demokratie. Und unter »Demokratie« verstanden viele, dass politische Entscheidungen nun – ganz im Gegensatz zur DDR – so getroffen werden würden, wie sie es für richtig hielten. Das konnte nicht gutgehen. Niemand erklärte jenen, deren Schulzeit schon Jahre zurücklag, als sie im Westen landeten, die Grundlagen eines Rechtsstaats oder die Mühe, Mehrheiten für politische Entscheidungen zu gewinnen, oder gar die Gewaltenteilung. Nicht zu vergessen, dass die Welt in der DDR zweigeteilt war: hier das Privatleben, Freundschaften, Kollegen, Nachbarn oder Sportsfreunde, auf der anderen Seite die von der SED gesteuerten staatlichen Strukturen. Dazwischen gab es keinen Raum für Aushandlungsprozesse, für Meinungsbildung oder offenen Meinungsstreit, kurz gesagt nichts, was einer sich selbst organisierenden Zivilgesellschaft oder einer demokratischen Öffentlichkeit auch nur ähnlich gewesen wäre. Kein Wunder, dass sich bei vielen allmählich das Gefühl ausbreitete, erneut ausgeliefert zu sein, umso mehr, als sie beruflich wieder ganz neu anfangen mussten, während ihre Altersgefährten im Westen die letzten Stufen ihrer Karriereleiter erklommen.

Können wir uns damit trösten, dass Umfragen zufolge eine deutliche Mehrheit heute die Entwicklung der deutschen Einheit als eine Erfolgsgeschichte[1] ansieht und mit dem eigenen Leben ziemlich zufrieden ist? Unterschiede zwischen Ost und West sind hier zwar noch sichtbar, haben sich im Lauf der Jahre aber immer weiter verringert.

Auch sonst sieht es ganz so aus, als würde die Mauer in den Köpfen eine immer geringere Rolle spielen, je jünger die Befragten sind.

Zukünftig wird uns eine andere Grenze Kopfzerbrechen bereiten: die Grenze zwischen denen, die in einer freien, offenen und in jeder Hinsicht vielfältigen Gesellschaft leben wollen, und den anderen, die lieber sicher sein wollen als frei, die sich nach autoritären Führern sehnen und demokratische Strukturen verachten. Wohin es jene zieht, die weder zu den einen noch zu den anderen gehören und die nie lernen durften, als selbstbewusste Bürgerinnen und Bürger eines freien Landes Verantwortung sowohl für ihr eigenes Leben als auch für das Gemeinwohl zu tragen, bleibt offen. Die Pandemiekrise hat uns eine Ahnung davon verschafft, wie schnell eine Gesellschaft in kritischen und bedrohlichen Situationen aus den Fugen geraten kann.

Mit sich selbst versöhnt

Um auf die Eingangsgedanken und den Titel dieses kleinen Essays zurückzukommen: Spielt in dieser gefährlichen Spannung zwischen Freiheit, Liberalität und Solidarität auf der einen und autoritären Verlockungen, Gewalt und Abgrenzung auf der anderen Seite die Idee der Versöhnung überhaupt eine Rolle?

Ich denke ja. Weniger allerdings im Verhältnis der politischen Gegner, die sich auf der Straße als Demonstranten und Gegendemonstranten erbittert gegenüberstehen oder die sich Wortschlachten im Parlament oder in den Medien liefern.

Was ich meine, sind Veränderungsprozesse innerhalb von Gruppen und Gemeinschaften, aber auch ganz individuelle Wege. Weiter oben klang es schon an: Der Weg, sich von einer quälenden Vergangenheit frei zu machen, ist die Versöhnung mit sich selbst und der eigenen Geschichte. Es gibt die Glücklichen, denen das freundliche Gefühl sich selbst gegenüber, mit dem wir alle zur Welt gekommen sind, nie zerstört wurde. Andere hatten es nicht so leicht, aber sie haben vielleicht die Gelegenheit, sich später mit sich selbst und mit der Welt zu versöhnen, die ihnen das Leben schwer gemacht hat. Keine einfache Sache, aber es lohnt sich. Es gibt Kulturen und Subkulturen, in denen Menschen sich auf der Straße oder im Hausflur nicht mit Misstrauen und verschlossenen Gesichtern begegnen, sondern einander zulächeln, so als würde man einander einen Vertrauensvorschuss spendieren.

Menschen, die sich nach der (stets idealisierten) Vergangenheit zurücksehnen, können ihr gegenwärtiges Leben nicht wertschätzen. Ebenso geht es jenen, deren wichtigstes Ziel das zukünftige Paradies der klassenlosen Gesellschaft ohne Armut, Hunger oder Ungleichheit ist. Nur wer zum realen gegenwärtigen Leben ein liebevolles Verhältnis hat, kann Dinge zum Guten verändern. Das setzt allerdings voraus, sich mit der Tatsache zu versöhnen, dass unsere Welt immer zugleich schrecklich und wunderbar ist – und auch künftig sein wird.

Vielleicht ist Angela Merkel ein im Inneren mit sich selbst versöhnter Mensch, eine Frau, die sich nicht inszenieren muss, um sich selbst auszuhalten. Schon seit Langem unterscheide ich Politikerinnen und Politiker danach, ob sie politische Ziele verfolgen, um ihre Macht auszubauen, oder ob sie ihre Macht nutzen, um politische Ziele zu erreichen. Die Parteizugehörigkeit spielt bei dieser Art von Beobachtung kaum eine Rolle. Die inhaltliche Differenz zu einem authentischen Gesprächspartner ist mir allemal lieber als ein selbstverliebter Parteifreund, der sich in seinem Gegenüber immer nur bestätigt sehen will.

Selbstverständlich habe ich mich auch schon getäuscht. Im Fall der Kanzlerin nicht. Ihr Satz »Ich will Deutschland dienen« in ihrer Antrittsrede als Kanzlerin wurde von manchen ein wenig belächelt. Aber im Sinne des eben beschriebenen Unterschieds hat er sich für mich immer wieder bestätigt: Angela Merkel hat in den Jahren ihrer Kanzlerschaft ihre Macht als Werkzeug benutzt, um das, was sie für richtig und nötig hielt, voranzutreiben oder durchzusetzen. Und damit unterschied sie sich wohltuend von all jenen, die Macht und Bedeutung mehr lieben als das Land, dem zu dienen sie versprochen haben.

Recht als politisches Argument. Beobachtungen zur Willensbildung im Rechtsstaat

Von Stephan Harbarth

Recht ist gleichermaßen Gegenstand wie Rahmen des Politischen. Politik vollzieht sich im Rechtsstaat in einer Sphäre des Rechts, auf die sie zugleich selbst einwirkt. Sie formt die Regeln, denen sie selbst verpflichtet ist, und es sind diese Regeln, nach denen sie sich entfaltet.

Dabei setzt die politische Willensbildung nicht zwingend eine argumentative Abstützung voraus; der Steigerung der Wirkkraft der eigenen Meinung und der Verbesserung ihrer Erfolgschancen in der Formung des demokratischen Mehrheitswillens ist eine solche aber zumeist förderlich. Das Spektrum der im politischen Diskurs bemühten Argumente ist breit: Vielfach treten etwa neben ökonomische, ökologische und soziale auch rechtliche Argumente. Der Rolle Letzterer im politischen Willensbildungsprozess wendet sich der folgende Beitrag im Sinn einiger Beobachtungen zu.

Die Beziehungen von Recht und politischem Argument sind vielgestaltig. Das Recht ist regelmäßig nur Gegenstand, nicht auch Instrument des politischen Diskurses, nämlich dann, wenn dieser auf die Veränderung oder auch die Beibehaltung von Rechtsnormen gerichtet ist, ohne dass für das Für und Wider (verfassungs-) rechtliche Argumente in Ansatz gebracht würden. Diese Konstellationen sollen nachstehend nicht näher in den Blick genommen werden. Die folgenden Überlegungen betreffen vielmehr Gestaltungen, in denen das Recht (auch) zum Instrument des politischen

Diskurses wird, indem aus dem Kreis mehrerer politischer Handlungsmöglichkeiten die politisch favorisierte als die einzig rechtlich gebotene hervorgehoben oder aber – spiegelbildlich – eine politisch abgelehnte Handlungsmöglichkeit als rechtlich, insbesondere verfassungsrechtlich unzulässig abgetan werden soll. Das solchermaßen vorgebrachte rechtliche Argument unterscheidet sich dabei qualitativ von anderen, etwa ökonomischen, ökologischen oder sozialen Argumenten: Diese fließen als Abwägungsfaktoren in den politischen Diskurs ein und sind als solche unter den Diskursteilnehmern subjektiv zu gewichten und zu verhandeln. Dem rechtlichen Argument im hier maßgeblichen Sinn ist ein solcher relativer Charakter von vornherein fremd. Es kann nicht mit den anderen außerrechtlichen Belangen in einen wie auch immer gearteten Ausgleich gebracht oder durch diese gar überspielt werden, sondern errichtet aufgrund seines intersubjektiven Geltungsanspruchs eine absolute Grenze, die auch in Verfolgung berechtigter Belange nicht überschritten werden darf.

Die wachsende Bedeutung von Recht in der politischen Debatte

Ob und gegebenenfalls in welchem Umfang Verwendung und Bedeutung derartiger Argumente im politischen Diskurs der Bundesrepublik in den vergangenen Jahrzehnten zugenommen haben, wird sich kaum exakt ausmessen lassen. Die zunehmende Verrechtlichung vormals genuin politisch auszufüllender Entscheidungsspielräume etwa infolge engmaschigerer unionsrechtlicher Vorgaben oder solcher des internationalen Rechts, einer über Jahrzehnte hinweg ausdifferenzierteren Verfassungsrechtsprechung sowie einer Verdichtung der rechtswissenschaftlichen Dogmatik legt jedoch nahe, dass Recht als politisches Argument einen nicht unbeträchtlichen Bedeutungszuwachs erfahren hat. Wenn namentlich die wohl intensivsten und kontroversesten politischen Debatten des vergangenen Jahrzehnts in besonderer Weise von rechtlichen Argumenten bis hin zum

Vorwurf der Überschreitung rechtlicher Grenzen geprägt wurden, ist dies Ausweis jener Entwicklung.

Zielrichtung und Zweckbestimmung des rechtlichen Arguments – und zwar sogar desselben rechtlichen Arguments – können sich dabei durchaus je nach Verwender unterscheiden. Mag es den einen darum gehen, die Einhaltung des Rechts selbst sicherzustellen, wird es anderen eher interessengeleitet auf die mit dem rechtlichen Argument einhergehende Verschiebung des Diskurses von der politischen auf die rechtliche Ebene ankommen. Die Folgen einer solchen Diskursverschiebung sind vielschichtig: Erstens wirkt sie sich auf die Diskursfähigkeit der Diskursteilnehmer oder zumindest auf die subjektive Wahrnehmung ihrer eigenen Diskursfähigkeit aus. In ebenjenem Maße, in dem sich die Sitzung eines politischen Gremiums einem juristischen Seminar annähert, erhöht sich die Diskursmacht der Juristen gegenüber derjenigen der Nichtjuristen. Manch durchschnittlicher Jurist empfindet plötzlich mindestens Augenhöhe mit überdurchschnittlichen Nichtjuristen.

Zweitens berührt die Verschiebung der Diskussion von der Frage der Vorzugswürdigkeit oder Nachteiligkeit einer bestimmten Handlungsoption auf die Ebene von Zulässigkeit oder Unzulässigkeit derselben auch den Prozess der politischen Willensbildung. Eine politisch nicht mehrheitsfähige, aber subjektiv erwünschte Entscheidung kann es befördern, sie als rechtlich geboten, einer politisch mehrheitsfähigen, aber subjektiv unerwünschten kann es schaden, sie als rechtlich unzulässig darzustellen.

Drittens birgt jene Diskursverschiebung aber auch das Potenzial einer Eskalation der politischen Gegnerschaft zur politischen Feindschaft. Wo über politische Opportunität diskutiert wird, folgt aus einer von der eigenen Auffassung abweichenden Entscheidung allenfalls die Vorhaltung politisch fehlgeleiteten oder politisch unklugen Verhaltens, wohingegen sich aus einer vermeintlich rechtlich unzulässigen Entscheidung der Vorwurf des Rechtsbruchs herleiten lässt. Die Korrektur politischer Diskordanzen vollzieht sich durch Wahlen und Abstimmungen im politischen Prozess, die Behauptung offenen

Verfassungsbruchs verleitet zur Nichtbeachtung getroffener Entscheidungen bis hin zur These eines Widerstandsrechts. In dieser Wirkrichtung ist das rechtliche Argument häufig Vehikel politischer Ertragsmaximierung: Die nicht selten anlassbezogen geschöpfte Rechtsauffassung wird erkennbar von dem Ziel geleitet, politischen Widersachern durch den Vorwurf größtmöglicher Rechtsverletzung zu schaden und daraus eigenen politischen Nutzen zu ziehen.

Die Unverzichtbarkeit von Recht als politischem Argument

Ungeachtet dieser Ambivalenz ist Recht als politisches Argument jedenfalls in einem Rechtsstaat nicht nur wichtig, sondern unverzichtbar. Politische Akteure haben bei der Ausübung ihres Amtes rechtliche Vorgaben zu beachten. Das Grundgesetz bindet die Gesetzgebung an die verfassungsmäßige Ordnung, die vollziehende Gewalt an Gesetz und Recht. Die Grundrechte des Grundgesetzes binden Gesetzgebung und vollziehende Gewalt als unmittelbar geltendes Recht.

Diese Verfassungserwartung rechtmäßiger Amtswahrnehmung korreliert mit der Verpflichtung, auch in der individuellen Entscheidungssituation für die Einhaltung des jeweils maßgeblichen Rechtsrahmens Sorge zu tragen und insbesondere nicht aus Gründen politischer Opportunität einen rechtlich versperrten Weg einzuschlagen. Dies schließt nicht aus, die Auswahl zwischen mehreren rechtlich vertretbaren Optionen unter politischen Gesichtspunkten vorzunehmen, verbietet es aber, die Wahrung von Recht und Gesetz allein der Judikative zu überlassen und rechtliche Begrenzungen unter Verweis auf die Möglichkeit späterer gerichtlicher Korrektur auszublenden.

Ob und inwieweit rechtlichen Argumenten im politischen Prozess jenseits des verfassungsrechtlich Unverzichtbaren zulasten anderer Belange Raum gegeben wird, liegt hingegen in der Entscheidung und Verantwortung der Beteiligten.

So klar die Verpflichtung zur Einhaltung verfassungsrechtlicher Vorgaben bei der Verabschiedung von Gesetzen ist, so schwierig erweist es sich in der politischen und namentlich parlamentarischen Praxis, diese verfassungsrechtlichen Vorgaben präzise zu ermitteln. In prozeduraler Hinsicht können die Akteure auf verschiedene Instrumente zur Erhellung der Verfassungsrechtslage zurückgreifen. Die Exekutive kann sich dabei insbesondere der Sachkunde der Ministerialverwaltung bedienen, erforderlichenfalls auch die Expertise Dritter wie namentlich spezialisierter Hochschullehrer in Anspruch nehmen. Das Mitglied des Deutschen Bundestages kann demgegenüber zur verfassungsrechtlichen Absicherung seiner Entscheidung zwar die verfassungsrechtlichen Bewertungen der Bundesregierung berücksichtigen, verfügt aber über keine eigenen Haushaltsmittel, um eigenständig die entgeltliche Expertise Dritter einzuholen. Es kann indes die Wissenschaftlichen Dienste des Deutschen Bundestages um eine verfassungsrechtliche Beurteilung ersuchen und auf die Einschätzungen von Sachverständigen im Rahmen parlamentarischer Sachverständigenanhörungen zurückgreifen. Ergänzt wird der verfügbare Reigen hilfreicher verfassungsrechtlicher Bewertungen durch öffentliche Äußerungen Dritter, sofern diesen eine angemessene Durchdringung der aufgeworfenen Fragen vorgeschaltet war.

Durch Inanspruchnahme dieser Instrumente werden sich manche verfassungsrechtlichen Zweifelsfragen klären lassen, andere offenbleiben. Die Schaffung zusätzlicher Instrumente verfassungsrechtlicher Kenntniserlangung und die Optimierung der vorhandenen mögen geeignet sein, das Ausmaß verfassungsrechtlicher Unsicherheit zu reduzieren; aufheben können sie diese indes nicht. Überspitzt formuliert: Auch unter Einstellung der gesamten sonstigen parlamentarischen Arbeit und Inanspruchnahme maximaler fachlicher Expertise – mit voraussichtlich oftmals einander widersprechenden Einschätzungen – würde sich subjektive verfassungsrechtliche Gewissheit vielfach nicht einstellen.

Insbesondere in neuartigen Konstellationen, in denen eine Auflösung verfassungsrechtlicher Spannungslagen noch nicht durch gefestigte Rechtsprechung und Lehre vorgezeichnet ist, bleibt politischem Handeln damit eine gewisse Rest-Rechtsunsicherheit immanent. Angesichts der Vielzahl inner- und außerhalb des parlamentarischen Verfahrens artikulierter verfassungsrechtlicher oder zumindest verfassungsrechtlich eingekleideter Bedenken erweist sich auch das vorsorgliche Absehen von jeder Handlung als kaum gangbar, wenn Politik ihre eigene Handlungsfähigkeit nicht aufgeben möchte. In Konstellationen multipolarer Grundrechtsbetroffenheit, in denen die rechtspolitische Schonung bestimmter Verfassungsgüter unweigerlich mit der Inanspruchnahme anderer einherginge, bestünde ein aus dem Befund verfassungsrechtlicher Unsicherheit abgeleitetes Gebot politischer Zurückhaltung die Nagelprobe der Lebenswirklichkeit im Verfassungsstaat ohnehin nicht. Die Notwendigkeit politischer Entscheidungen unter subjektiver verfassungsrechtlicher Unsicherheit findet ihre Begründung nicht zuletzt in der Rechtsordnung selbst, welche die Möglichkeit einer gleichsam rechtsgutachterlichen Vorab-Normenkontrolle durch das Bundesverfassungsgericht gerade nicht vorsieht und somit gewisse rechtliche Unwägbarkeiten normativ in Kauf nimmt.

Die Auswirkungen rechtlicher Argumente auf den politischen Diskurs

Schließt der politische Diskurs unter dem Grundgesetz mithin auch rechtliche Argumente ein, so stellt sich die Frage nach deren Auswirkungen auf den politischen Diskurs.

Ist es durchdacht und abgewogen, so rationalisiert das rechtliche Argument die politische Debatte. Es scheidet politische Überlegungen, denen aus Rechtsgründen kein dauerhafter Bestand gegeben sein kann, aus dem Rechtssetzungsprozess aus, konzentriert den Diskurs auf die Menge rechtlich statthafter Optionen und ebnet damit den Weg für fachlich fundierte politische Kompromisse. Die Ausprägung und Verfestigung eines einzelne politische Parteien und

Fraktionen übergreifenden Bestandes an gemeinsamen rechtlichen Überzeugungen bildet dabei nicht nur einen wichtigen Bestandteil einer besonders entwickelten Debattenkultur, die der sachbezogenen Auseinandersetzung Vorzug vor lediglich öffentlichkeitswirksamen Invektiven gibt. Die Orientierung am rechtlichen Argument fördert zugleich die Berechenbarkeit und Stabilität der Rechtsordnung insgesamt und wird maßgeblichen Anteil daran haben, dass die Verfassungswidrigkeit vom Gesetzgeber verabschiedeter Gesetze in der Rechtspraxis die absolute Ausnahme darstellt.

Das rechtliche Argument birgt jedoch im politischen Prozess zugleich die Gefahr einer zumindest partiellen Ausgrenzung der übergroßen Zahl derjenigen, die sich zu einer angemessenen Beteiligung an diesem Teildiskurs nicht in der Lage sehen. Deren Zurücksetzung ist umso gravierender, als der juristische Teildiskurs Verzerrungseffekte hervorbringt. Es mangelt ihm regelmäßig zwar nicht an meinungsstarken Akteuren, denen kurzfristig mediale Aufmerksamkeit erwächst; jedoch vermengen sich in diesem Zusammenhang nicht selten Produkte wissenschaftlichen Erkenntnisstrebens mit der Einkleidung persönlicher Meinungen in das Gewand rechtswissenschaftlicher Gewissheit. In seiner bisweilen uferlos anmutenden Breite mag das Spektrum vertretbarer oder zumindest vertretener juristischer Auffassungen gerade den Angehörigen solcher Fachdisziplinen, die von naturwissenschaftlicher Genauigkeit geprägt sind, gelegentlich wie ein undurchdringliches Dickicht erscheinen.

Das rechtliche Argument ist darüber hinaus ein solches von innerer Ambivalenz. Verfassungs- und Gesetzesnormen sind im Wesentlichen in Rechtsform geronnene Resultate früherer politischer Diskussionen. Mit einem rechtlichen Argument wird daher gewissermaßen das Ergebnis einer früheren politischen Entscheidung in die Waagschale einer neuen gelegt und die in sich selbst gründende Wirkmacht des Status quo aktiviert. Das rechtliche Argument sorgt so für Kontinuität, dies aber im Guten wie im Schlechten. Es enthebt von dem Zwang, eine einmal gefundene Übereinkunft stets aufs Neue begründen und ausdiskutieren zu müssen, erschwert aber zugleich deren grundsätzliche Hinterfragung, selbst wenn sie aufgrund veränderter Umstände geboten erscheint.

Das rechtliche Argument ist in summa ambivalent. Es ist unverzichtbar und fordernd, kann gleichermaßen rationalisieren wie irrationalisieren, ebenso sachlich sein wie unsachlich. Es prägt die Politik, von der es doch selbst nicht selten erst Zielrichtung und Zweckbestimmung erhält. Die ineinandergreifenden Sphären der Politik und des Rechts mit sicherem Schritt zu durchmessen, ist unablässige Herausforderung des politischen Wirkens in einem Rechtsstaat. Dieser Herausforderung mit nüchternem Blick, wachem Geist, offenem Herzen und souveräner Gelassenheit zu begegnen, ist Ausweis von Staatskunst. Ein auf ihr gründendes Vermächtnis vermag auch einen Schritt ins Neue, ins Offene zu überdauern.

Die hohe Kunst der Differenzierung. Über evangelische Theologie, Politik und eine Virtuosin der Unterscheidung

Von Christoph Markschies

Bei einer Partei, die ein »C« im Namen führt, und bei einer Politikerin, die aus einem evangelischen Pfarrhaus stammt, liegt es nahe zu fragen, welche Beiträge das Christentum zur »hohen Kunst der Politik« leisten kann. Wenn ein evangelischer Theologe diese Frage in einer Publikation zu beantworten versucht, die eine Virtuosin dieser hohen Kunst ehrt, sollte er bei seinem Leisten bleiben und also bei der präzisierten Frage, welche Beiträge die christliche Theologie als eine Reflexion christlicher Religion nach wissenschaftlichen Maßstäben zur hohen Kunst der Politik leisten kann. Auch wenn die CDU sich inzwischen längst als »ökumenisches Projekt« versteht und mindestens Teile der Gruppen, die sie einst gründeten, das immer schon so verstanden[1] (andere allerdings auch dezidiert nicht[2]), antwortet ein evangelischer Theologe natürlich aus der Perspektive evangelischer Theologie, allerdings einer Theologie mit einem ökumenischen Horizont. Die insbesondere die Öffentlichkeit interessierende Frage, ob das Handeln einer individuellen Politikerin vom Christentum oder jedenfalls christlichen Prägungen bestimmt war und ist, wird hier dagegen weder gestellt noch beantwortet.[3] Schließlich kann es im Rahmen einer bestimmten politischen Programmatik oder konkreten Entscheidung durchaus zu Konvergenzen zwischen unterschiedlichen Motivationen kommen, können also unterschiedliche religiöse und nichtreligiöse Orientierungen konvergieren. Ein solches Konvergieren ist wesentlich leichter zu konstatieren als der konkrete Nachweis kausaler Beziehungen – schon deswegen sollte man sich in den

Geisteswissenschaften und Geschichtswissenschaften viel öfter auf den Nachweis von Konvergenzen beschränken, ohne über Kausalitäten zu spekulieren.[4]

Zur Präzisierung der Fragestellung, die in diesem Beitrag behandelt wird, ist noch eine zweite und letzte Einschränkung notwendig: Die historische und insbesondere zeitgeschichtliche Frage nach dem faktischen Beitrag des Christentums und insbesondere der christlichen Theologie zur hohen Kunst der Politik in den vergangenen Jahren und Jahrzehnten wird hier ebenfalls (nicht zuletzt aufgrund mangelnder einschlägiger fachlicher Kompetenzen des Autors für die Zeitgeschichte dieses Landes) weder gestellt noch beantwortet. Man müsste dann insbesondere für den Bereich evangelischer Milieus erst einmal davon reden, was als »Anti-Parteien-Mentalität im parteipolitischen Engagement«[5] bezeichnet worden ist und bis in jüngste Vergangenheit und selbst bei Inhabern höchster Staatsämter zu beobachten ist. Und es würde sich auch schnell zeigen, dass oft die Vorstellungen »vom Christentum« und »dem Christlichen« nicht nach wissenschaftlichen Maßstäben reflektiert, sondern eher laienhaft und praktisch orientiert waren – untheologisch, um es präziser zu formulieren: Wenn man beispielsweise den Dresdner Gründungsaufruf der CDU vom 14. August 1945 liest, der ausdrücklich betont, dass »evangelische und katholische Deutsche« ihn tragen, dann fällt auf, dass man für den Neubau einer europäischen Friedensordnung auf die Kraft ökumenischer Verständigung setzte: »Mit den wahren Christen aller Länder wollen wir versuchen, uns zu verständigen aufgrund des Glaubens an das gottgewollte Lebens- und Entfaltungsrecht jeder Nation, auch der Deutschen, in der Gewißheit, hiermit zugleich auch dem Frieden der Welt zu dienen«.[6] Theologische Differenzen zwischen den Konfessionen oder innerhalb der Konfession spielten keine Rolle. Das von den Deutschen Christen missbrauchte und in der Bekennenden Kirche entsprechend scharf kritisierte Konzept einer göttlichen Schöpfungsordnung feierte im genannten Dresdner Aufruf fröhliche Urständ, um die angeblich in dieser Schöpfungsordnung begründeten »häuslichen und erzieherischen Aufgaben der Frau und Mutter« hervorzuheben. Andere politische Programme für die CDU aus jener Zeit, beispielsweise die Texte aus der britischen Zone, sind noch viel theologieabstinenter. Ökumenisch zu nennen ist dort allenfalls das pointierte Reden von »christlicher Ethik«, »christlicher Weltanschauung«, dem »unerschütterlichen Fundament des Christentums und der abendländischen Kultur« – also die Verwendung des Adjektivs »christlich« anstelle der konfessionellen Näherbestimmungen »evangelisch« bzw. »katholisch«. Vermutlich war ebendiese theologische Enthaltsamkeit auch die Vorbedingung für eine Mitwirkung an und Zustimmung der beiden Kirchen zu dem Prozess der Gründung einer »christlichen« Partei. In Zeiten vor dem Zweiten Vatikanum hätte man sich römisch-katholische kirchenamtliche Zustimmungen zu feierlichen ökumenischen Bekenntnissen kaum vorstellen können.

Um eine historische Analyse als Basis einer Antwort auf die Frage, welche Beiträge das Christentum zur »hohen Kunst der Politik« in den letzten Jahren und Jahrzehnten geleistet hat, geht es hier aber, wie bereits angedeutet, nicht. Es geht vielmehr um die systematische These, dass die hohe Kunst der Differenzierung als zentrales Element der hohen Kunst der Politik auch im Zentrum der evangelischen Theologie christlicher Religion steht und sich auf diese Weise eine eindrückliche Konvergenz zwischen einer christlichen Theologie und virtuoser politischer Kunst ergibt – und dies, obwohl es sich bei Religion und Politik längst um zwei weitestgehend getrennte Sphären von Gesellschaft und Öffentlichkeit handelt und bei den meisten Handelnden im politischen Geschäft auch eher unwahrscheinlich ist, dass kausale Beziehungen zwischen theologischer Erkenntnis und politischem Handeln oder politischer Pragmatik bestehen.

Die Kunst der Differenzierung in Politik und Theologie

Warum die hohe Kunst der Differenzierung für erfolgreiches politisches Handeln einschlägig ist und daher auch politische Programmatik prägen sollte, muss hier nicht ausführlich begründet werden.

Eine basale Differenzierung ist beispielsweise die »zwischen der reinen Lehre und der Lebenswirklichkeit«, »die uns schon aufgrund ihrer Vielfalt und Dynamik politische Kompromisse abnötigt« (Thomas de Maizière).[7] Differenzierung zwischen Norm und Realität, aber auch zwischen den Ansprüchen konkurrierender Normen, differenten Forderungen unterschiedlicher Gruppen, die auf ihrer Differenz zunehmend beharren, und den besonderen Umständen einer jeweils mindestens in Nuancen unterschiedlichen Realität hier und dort – die Liste für die hohe Kunst der Politik notwendiger Differenzierungen lässt sich fast beliebig verlängern und illustriert die Bedeutung von Differenzierungen für die Kunst der Politik und den sachgerechten Umgang mit der politischen Dimension des sozialen Raums.[8] Die Covid-19-Pandemie hat zudem noch einmal sehr deutlich die Notwendigkeit einer Differenzierung zwischen Ergebnissen eines wissenschaftlichen Diskurses und der Aufstellung wie Umsetzung politischer Konsequenzen aus wissenschaftlichen Einsichten unterschiedlicher Disziplinen deutlich werden lassen.

Ausführlicher begründet werden sollte, dass und warum die Differenzierung zugleich auch ein Kernelement reformatorischer evangelischer Theologie ist (und, wie auch gezeigt werden wird, ein Erbe der antiken christlichen Theologie des Kirchenvaters Augustinus und des Apostels Paulus aus den Anfangszeiten des Christentums).

Die Theologie als Unterscheidungskunst

Zunächst einmal werden vermutlich auch Menschen, die reformatorische Theologie insbesondere lutherischer Prägung nicht ausführlicher studiert haben, wissen, wie sehr diese Form von Reflexion über Religion durch basale Differenzen geprägt ist: Gott – Mensch, Sünder – Gerechter, Gesetz – Evangelium, Reich Gottes – Reich dieser Welt, geistlicher Schriftsinn – buchstäblicher Schriftsinn und so weiter und so fort. Der Kirchenhistoriker und systematische Theologe Gerhard Ebeling (1912–2001), ein sehr selbständiger Schüler Dietrich Bonhoeffers, hat mehrfach gezeigt, dass solche

Unterscheidungen ein grundlegendes Charakteristikum der Theologie Martin Luthers sind und entsprechend für den Reformator das richtige Differenzieren ein grundlegendes Merkmal theologischer Urteilskraft ist.[9]

Das rechte Differenzieren beginnt für Luther natürlich bei der schlechterdings fundamentalen Autorität aller Theologie, bei der Bibel, unter und in der Gott sich vernehmen lässt in seinem Wort: »In Sachen der heiligen Schrift ist es unübertrefflich, den Geist vom Buchstaben zu unterscheiden; denn das macht in Wahrheit zum Theologen.«[10] Nur wer in einem uralten Buch auch gegenwärtige Anrede und Orientierung Gottes zu vernehmen weiß, liest und hört das Buch recht. Diese zunächst einmal hermeneutische Grundfigur einer Differenzierung zwischen einem buchstäblichen, historischen Sinn, der längst vergangenen Generationen galt, und einer gegenwärtigen Anrede[11] führt nach Luther auf weitere basale Differenzierungen, vor allem aber die Unterscheidung von einer Anrede, die den Menschen bei seiner Schuld und Sünde, also bei moralischen Versäumnissen wie auch bei seinem Unglauben behaftet, und einer anderen Anrede, die den Menschen aus seiner Schuld und Gottesferne reißt und ihm die Verheißung göttlicher Zuwendung zuspricht. Diese beiden Sprechweisen, in denen man biblisches Wort hören kann, bezeichnet Luther als »Gesetz« und »Evangelium«. Auch wenn die Maßstäbe für moralisches Handeln stärker in der Hebräischen Bibel, dem christlichen Alten Testament, ausgedrückt sind, identifiziert Luther natürlich nicht das Alte Testament mit dem »Gesetz« und das Neue Testament mit dem »Evangelium«.[12] Es ist ein Zeichen der Sensibilität des Seelsorgers Luther und seiner erfahrungsgesättigten Theologie, dass nach Luther die Konfrontation mit dem »Gesetz« nur unausweichlich das Ungenügen und die Fehlerhaftigkeit des Menschen zu Tage fördert (und wer wollte das nach einem schrecklichen 20. Jahrhundert ernsthaft in Zweifel ziehen) und darum die Botschaft des Evangeliums, die grundlos allen Menschen geschenkte Gnade, so wertvoll ist. Wer »Gesetz« und »Evangelium« »gut zu unterscheiden weiß, ist ein guter Theologe«.[13] Ebeling geht sogar so weit zu formulieren, dass in dieser Form von Theologie das »Okular auf äußerste Trennschärfe eingestellt« ist[14]; man könnte vielleicht auch sagen, dass die Kunst der Differenzierung hier sehr betont in das Zentrum einer christlichen Theologie gestellt ist.

Es geht also nicht um eine klassische mittelalterliche Differenzierung in den Wissenschaften, die im Sinne klassischer Definitionskunst mit der Angabe der spezifischen Differenz zur nächsthöheren Gattung einen Gegenstand möglichst präzise bestimmt.[15] Vielmehr wird die christliche Theologie als fortwährende Kunst der Differenzierung im Gefolge einer Fundamentalunterscheidung beschrieben und weiter als die Fähigkeit, das präzise Unterschiedene in ein rechtes Verhältnis zu setzen: In den exegetischen Vorlesungen über biblische Bücher, die der für Bibelwissenschaft bestellte Theologieprofessor Martin Luther an der Leucorea (der Wittenberger Universität) hielt[16], war selbstverständlich der Text der Heiligen Schrift den Studenten nach seiner buchstäblichen Bedeutung zu erläutern, auf der Kanzel der Wittenberger Stadtkirche ging es stärker darum, unter der buchstäblichen Bedeutung die aktuelle Anrede der versammelten Gemeinde wirksam werden zu lassen (oder jedenfalls dieses geistgewirkte Wirksamwerden nicht zu behindern).

Die Vermittlung der Unterscheidungskunst in der Geschichte des Christentums

Nun darf nicht der Eindruck entstehen, dass es sich bei der Betonung der Unterscheidungskunst in der Theologie um ein evangelisches Fündlein bestimmter Wittenberger Theologen des 16. Jahrhunderts handelt. Schon die erste Nennung der wichtigsten basalen Differenzen (Gott – Mensch, Sünder – Gerechter, Gesetz – Evangelium, geistlicher Schriftsinn – buchstäblicher Schriftsinn, Reich Gottes – Reich dieser Welt; s. o. S. 241) erinnert Menschen, die ihre Bibel kennen, an die neutestamentlichen Briefe des Apostels Paulus. Alle genannten Differenzierungen waren dem Augustinermönch Martin Luther durch den nordafrikanischen Kirchenvater

Augustinus (354–430 n. Chr.) vermittelt worden, der zugleich auch der Fakultätspatron der Wittenberger Theologischen Fakultät war (und das auch nach den Verwerfungen des 16. Jahrhunderts blieb).[17] Die gesamte Tradition, Theologie als Kunst der Unterscheidung anzulegen und ihre Funktion für die Kirche als eine Vermittlung von Differenzierungen und der Kunst der Differenzierung zu bestimmen, ist ein spätantikes, gleichsam »katholisches« Erbe der reformatorischen evangelischen Theologie (und damit ein Potenzial für ökumenische Verständigung in der Gegenwart). Selbstverständlich ist die auf den Apostel Paulus zurückgehende augustinische Theologie der Differenzierungen in Geschichte wie Gegenwart nicht unumstritten und ihr werden von ihren Kritikern immer wieder die großen Denker der Synthese entgegengestellt.[18] Selbstverständlich wiederholt Luther und wiederholen andere reformatorische Theologen des 16. Jahrhunderts auch nicht einfach eine spätantike Theologie des 4. und 5. Jahrhunderts. Details müssen wir hier nicht vertiefen.[19] Aber man wird kaum bestreiten können, dass es sich bei dieser Fokussierung auf die Unterscheidung um einen in der Geschichte der europäischen Neuzeit äußerst segensreichen Zug christlicher Religion und Theologie handelt, denn er hat die Trennungen zwischen religiöser und politischer Sphäre begleitet (wenn nicht befördert), die sich in der Geschichte Europas und unseres Landes so segensreich ausgewirkt haben.[20]

Die Vermittlung der Unterscheidungskunst als aktuelle Aufgabe

Ein Theologe, der so in der lutherischen Tradition der Differenzierung steht, bemüht sich nicht nur selbst um Unterscheidung, sondern leitet andere zur Unterscheidung an – damit Menschen nicht über den unerfüllten moralischen Forderungen im Leben verzweifeln, beständig über ihren eigenen Unglauben stolpern und ergebnislos über Sinn in biblischen Texten grübeln. Anleitung zum rechten Unterscheiden ist im Paradigma dieser Theologie die hilfreiche

Funktion einer wissenschaftlichen Reflexion von Religion für religiöse Alltagspraxis.

Möglicherweise klingt das in politischen Zusammenhängen ein wenig abständig, vielleicht auch sehr nach kirchlicher, binnentheologischer Sprache. Aber man muss sich nur einmal klarmachen, wie sehr ein solches Konzept von Theologie als Unterscheidungskunst dabei hilft, wenn nach Orientierung aus biblischen Texten für elementare Gegenwartsfragen wie den Umgang mit den notorischen ethischen Problemen am Beginn und Ende des Lebens gefragt wird.[21]

Vor dem Hintergrund der Unterscheidung zwischen religiöser und politischer Sphäre, die die bundesdeutsche Verfassungsordnung prägt[22], muss man aber gar nicht mühsam nach kausalen Beziehungen zwischen der hohen Kunst der Differenzierung in der Politik und in der Religion suchen – es reicht, die Konvergenzen zwischen unterschiedlichen Differenzierungskünsten festzustellen und sich über solche Konvergenzen zu freuen. Denn angesichts der steten Gefahr, undifferenziert alles irgendwie (und sei es in bester Absicht) durcheinanderzuwerfen, einer gelegentlich geradezu teuflischen Gefahr[23], ist man für Virtuosen der Differenzierung, Menschen, die die hohe Kunst der Differenzierung beherrschen, sehr dankbar, ganz gleich, ob sie in der Sphäre von Theologie und Kirche oder von Politik und Gesellschaft tätig sind. Und besonders dankbar ist man, wenn über eine lange Zeit diese Kunst nicht nur ausgeübt, sondern auch öffentlich vermittelt wird. Dabei ist es eigentlich gleichgültig, ob sich diese Virtuosität bei Angela Merkel einem Studium der Physik und naturwissenschaftlicher Berufspraxis oder einer Jugend im Pfarrhaus verdankt oder ganz anderen Ursachen. Konvergenzen zu beobachten und präzise zu beschreiben (in diesem Fall zwischen Unterscheidungskünsten in den so unterschiedlichen Bereichen der Politik und Theologie) ist eigentlich spannender, als kühne Hypothesen über Kausalitäten aufzustellen, allzumal in biografischen Zusammenhängen. Und auf diese Weise wird die Relevanz von Christentum, Kirche und Theologie auch viel besser deutlich.

IV.

»Eine besondere Eigenschaft
von Angela Merkel
besteht darin, tiefgreifende,
den Horizont verkleinernde
Störungen und
Herausforderungen so weit
zu distanzieren, dass die
eigene Handlungsfähigkeit
wiedergewonnen wird, um
zugleich aber den hierbei
entstehenden Abstand zu
vermeiden.«

HORST BREDEKAMP

Die Kanzlerin und der deutsche Fußball. Anmerkungen zur Professionalität

Von Philipp Lahm

Als am 9. Juni 2006 in München die Eröffnungsfeierlichkeiten für die Fußballweltmeisterschaft stattfinden, sitzt Angela Merkel auf der Tribüne. Sie ist seit einem halben Jahr Kanzlerin der Bundesrepublik Deutschland. Man hätte ihr einen leichteren Start in ihr neues Amt gewünscht: Zwar ist in dieser Zeit eine monatelange Entführung zweier Deutscher im Irak glücklich zu Ende gegangen, aber weder angesichts der innenpolitischen (hohe Arbeitslosenquote) noch der außenpolitischen Lage (Dauerkrise im Mittleren Osten) ist Angela Merkel um ihre Position zu beneiden. Mit dem Eröffnungsspiel der deutschen Nationalmannschaft gegen Costa Rica beginnen ein paar Wochen, die inzwischen als »Sommermärchen« sprichwörtlich geworden sind und die Aufmerksamkeit der Öffentlichkeit von ernsten politischen Problemen weg und hin auf den Sport lenken. Bis zum 9. Juli bringt der Fußball damals eine andere Form von Spannung und damit für ein paar Wochen Entspannung übers Land. Die deutsche Nationalmannschaft leistet dazu ihren Beitrag – und weil wir es schaffen, uns bis zum Spiel um den dritten Platz im Turnier zu halten, kann die Bundeskanzlerin uns ein paar Mal zuschauen.

Damals ahnte niemand, dass die erste Frau im Kanzleramt länger als Konrad Adenauer Regierungschefin bleiben und dass die deutsche Fußballnationalmannschaft nach ziemlich trübseligen Jahren eine erstaunlich positive Entwicklung nehmen würde, die schließlich bis zum Gewinn der Fußballweltmeisterschaft in Brasilien führen sollte. Beide Tatsachen aber haben Gelegenheit geboten, dass sich nach und nach zwischen der Regierungschefin und der Nationalmannschaft eine echte Beziehung entwickelt hat. Wenn ich heute darüber nachdenke, sehe ich nicht nur, dass die Arbeit beider Seiten Höhepunkte und Rückschläge, sondern auch einige interessante Parallelen zeigt.

Professionalisierung in Sport und Politik

Menschen, die sich professionell in ihrem Beruf verhalten, haben meinen Respekt – auf dem Fußballplatz wie auf jeder anderen Position in unserer Gesellschaft. Es war für mich immer etwas Besonderes, von jemandem Wertschätzung zu erfahren, der diese Professionalität so verinnerlicht hat wie die Kanzlerin – etwa im Hinblick auf diplomatisches Geschick, Kooperationsfähigkeit, besonnenen Einsatz von Machtmöglichkeiten, auf Weitsicht und Verantwortungsbewusstsein in Entscheidungssituationen. Daher hat es mir viel bedeutet, dass Angela Merkel den Aufstieg der Nationalmannschaft seit ihrem ersten Amtsjahr begleitet, Turniere für persönliche Begegnungen genutzt und unser Team immer wieder gewürdigt hat. Natürlich schmücken sich manche Politikerinnen und Politiker gern mit der Nähe zu Sportlerinnen und Sportlern. Aber die Kanzlerin hatte ein ganz eigenes, gewachsenes Interesse für den Fußball; sie saß schon 1974 im Leipziger Zentralstadion, als die Auswahl der DDR gegen England antrat – lange bevor sie auch nur davon hätte träumen können, als Regierungschefin Deutschlands einmal das Spiel einer gesamtdeutschen Nationalmannschaft zu besuchen.

Solche persönliche Glaubwürdigkeit ist wichtig – in der Politik wie im Sport. Das steht mir umso klarer vor Augen, wenn ich darüber nachdenke, wie ich als Turnierdirektor der EURO 2024 die Menschen hierzulande für dieses Ereignis begeistern und ihnen die Werte vermitteln kann, die unseren Sport ausmachen. Es geht mir darum, ein glaubwürdiger Interessenvertreter nicht nur der europäischen Fußballelite, sondern aller Aktiven und aller Fans zu sein, und zwar in einer Situation, in der sich Amateure und Sportbegeisterte heute besorgt fragen, ob sie eigentlich noch wahrgenommen werden und welche Bedeutung sie im Fußballbetrieb noch haben.

Glaubwürdig gemeinsame Interessen zu vertreten war auch in den Jahren 2008 bis 2012 in besonderer Weise gefordert, als Angela Merkel gezwungen war, eine wichtige Rolle in der Wirtschaftskrise zu übernehmen, die Europa damals erfasst hatte: Griechenland drohte der Staatsbankrott, und der Euro, unsere gemeinschaftliche Währung, stand vor dem Aus. Die Krise wurde weiter angeheizt, weil durch Immobilienspekulationen in den USA auch europäische Banken vor dem Zusammenbruch standen. Euroskeptiker sahen sich bestätigt, und gleichzeitig traten nicht nur hierzulande alle Zukunftsängste der Menschen vor einer sich beschleunigenden Globalisierung zutage. In dieser Umbruchsituation zeichnete sich die Kanzlerin dadurch aus, nicht die Nerven zu verlieren und mit allen Beteiligten nach Lösungsmöglichkeiten, nach gemeinsamen Regeln zu suchen sowie neues Vertrauen aufzubauen, dass in diesem Regelwerk niemand zurückgelassen wird, auch wenn es keine einfachen Lösungen geben würde.

2008 war auch die Nationalmannschaft in einer Umbruchsituation. Die Generation der Topfußballer, die bis dahin den deutschen Fußball prägte, hatte den Höhepunkt ihrer Leistungsfähigkeit überschritten – tragischerweise ohne einen Pokal zu erringen. Zugleich ließen sich erste Umrisse einer neuen Mannschaft erkennen, die aus der Eliteausbildung in den Fußballleistungszentren hervorgegangen war. Diese hatten seit Beginn des Jahrzehnts die Nachwuchsausbildung auf höchstem Niveau übernommen. Wer mit Talent gesegnet war und diese Ausbildung durchlaufen hatte, konnte mit den Fußballern der Welt mithalten. War während des Sommermärchens 2006 noch der Funke von der Gesellschaft auf die Mannschaft übergesprungen und hatte den entscheidenden Impuls zu einer überragenden Leistung im Turnier gegeben, so verrieten die Resultate der Turniere von 2008 bis 2012 – und die Art und Weise, wie sie erreicht worden waren –, dass jetzt ein enormer Professionalisierungsschub den deutschen Fußball erfasst hatte. Diese Generation würde aus eigener Kraft ihre Chance bekommen. Zwar scheiterte Deutschland im Halbfinale der Europameisterschaft 2012 in Polen und der Ukraine noch einmal an Italien, aber es war unübersehbar, dass alle Anlagen zum Erfolg vorhanden waren; was zu diesem Zeitpunkt fehlte, war allein die Reife.

In Deutschland vertraute man nach den Erfahrungen schwerer wirtschaftspolitischer Krisen der Bundeskanzlerin, dass sie in der Lage war, auch bedrohliche Gefahrenlagen zu bewältigen und die Menschen hierzulande aus den gefährlichsten Turbulenzen herauszuhalten. Seit 2006 war Angela Merkel immer wieder ganz vorn auf der Liste der mächtigsten Frauen der Welt im US-Wirtschaftsmagazin *Forbes* erschienen. Bis 2020 nahm sie dort ununterbrochen Platz 1 ein (mit einer Ausnahme 2010, als Michelle Obama vorn lag). Ohne sie wurden auf der Welt keine wichtigen Entscheidungen getroffen. Sie hatte in der deutschen Politik ihre eigene Führungsart ohne Gedöns etabliert, durch die sich vermeintliche Platzhirsche plötzlich tief im Wald wiederfanden, wo sie dann auch blieben. Auch die Nationalmannschaft wurde in diesen Jahren ohne großes Getue und viel Aufhebens geführt und hatte ihren eigenen Stil hervorgebracht.

Professionalisierung im Fußball wie in der Politik bedeutet nicht, dass man geliebt werden, sondern dass man Tag für Tag seine Arbeit auf hohem Niveau bestmöglich erledigen muss, um die Erwartungen der Menschen zu erfüllen oder zumindest ihr Vertrauen nicht zu enttäuschen. Angela Merkel wurde nicht wieder und wieder gewählt, weil sie die Rolle einer »Traumfrau« verkörperte und unglaublich beliebt war, sondern weil sie den Deutschen das Gefühl vermittelte, unter ihrer Regierung auch in unsicheren Zeiten einigermaßen sicher zu sein.

Wie überzeugend das der Bundeskanzlerin damals gelungen war, zeigten die Ergebnisse der Union in den Bundestagswahlen vom September 2013, als sie über 41 Prozent der Stimmen erreichte und sich dabei um mehr als sieben Prozent gegenüber 2009 verbesserte.

Angela Merkel blieb mit diesem Erfolg für weitere vier Jahre im Amt. Wie sich die Gesellschaft, die sie wählte, verändert hatte, konnte man auch an der Nationalmannschaft ablesen, die wenige Monate später nach Brasilien zur Fußball-WM fuhr. Diese Nationalmannschaft war besser denn je – und sie war bunter denn je! Unter den 23 besten Fußballern Deutschlands waren Shkodran Mustafi, Jérôme Boateng, Sami Khedira, Mesut Özil, Lukas Podolski, Miro Klose. Die Botschaft dieses Kaders war, dass jedes Toptalent, das sich mit Willenskraft und Disziplin bis zum Äußersten engagiert, seine Chance hat. Wir waren Teil der deutschen Chancengesellschaft, in der sich jeder Einzelne von uns zum Weltklassespieler entwickelt hatte; so wurden wir gemeinsam verdient Weltmeister mit einer Mannschaft, die der Spiegel eines Landes im Wandel der Globalisierung war. Die Nationalmannschaft und ihr Umfeld waren geprägt von einem Denken, das frei war von Berührungsängsten mit Neuem und Ungewohntem. Und dafür stand auch die Bundeskanzlerin, die an diesem unvergesslichen 13. Juli 2014 mit unserer Weltmeistermannschaft im Stadion Maracaná in Rio de Janeiro feierte, für die der Migrationshintergrund von mehr als einem Viertel des Kaders eine Selbstverständlichkeit war.

So wie Rassismus und Fremdenfeindlichkeit nichts im Sport verloren haben, so gehören Hilfsbereitschaft, Mitmenschlichkeit und Solidarität zu seinen Grundlagen. Dieses Denken, das mir Respekt abverlangt, hat auch die Handlungsweise der Bundeskanzlerin bestimmt, die 2015 die Grenzen öffnete, als immer mehr Menschen versuchten, sich und ihre Kinder aus den Bürgerkriegsgebieten des Nahen und Mittleren Ostens nach Europa in Sicherheit zu bringen. Hätten damals alle europäischen Länder den Mut gehabt, so zu handeln, dann wäre die Zahl der Geflüchteten durch eine Aufteilung entsprechend der Größe der aufnahmebereiten Länder leicht zu bewältigen gewesen. Es ist anders gekommen, wie wir wissen.

Die Veränderungen der Welt lassen sich nicht aufhalten, und es ist unrealistisch zu glauben, dass jemand auf Dauer die mit der Globalisierung verbundenen Probleme – von Geflüchteten über

Umweltkatastrophen bis zu Corona und darüber hinaus – von uns fernhalten kann. Die Frage, die man vielmehr stellen muss, lautet, wie wir diese Probleme ins Auge fassen sollen und wie wir angemessen mit ihnen umgehen können. Angemessen heißt, dass Sorgen und Erwartungen offen ausgesprochen und Risiken der Veränderungen möglichst kleingehalten werden, während der Nutzen für uns alle möglichst groß sein soll.

Die Kraft von Regeln und die Bedeutung von Vertrauenswürdigkeit

Angela Merkel ist wegen ihrer Politik der offenen Grenzen 2015 von manchen Politikerinnen und Politikern und Teilen der Öffentlichkeit scharf kritisiert worden, aber sie hat ihre Arbeit weiter professionell gemacht und damit das in sie gesetzte Vertrauen gerechtfertigt. Dass sie so viel Vertrauen genießt, scheint mir daran zu liegen, dass sie sich stets um transparente Regeln bemüht. Sie hat erkannt, dass unsere eigene Gesellschaft, aber auch der Umgang der Staaten miteinander – je komplizierter die Welt wird – nur dann funktionieren kann, wenn es Regeln gibt, an die sich alle halten. Was passiert, wenn jemand glaubt, er allein könne Regeln diktieren und geltende Regeln auf den Kopf stellen, konnte man in der Regierungszeit von Donald Trump verfolgen –, die die Welt beispielsweise bei der Lösung von drängenden ökologischen Fragen keinen Schritt weitergebracht hat.

Die Einhaltung von Regeln, die für alle gleich sind, bildet auch die Basis des Fußballsports weltweit: Denkt man an die großen Marken des Fußballgeschäfts wie etwa Manchester City, Manchester United, Juventus Turin, AC Mailand, FC Liverpool, FC Chelsea, Real Madrid, FC Barcelona, Paris Saint Germain, FC Bayern München und noch einige andere Topclubs, so ruft das bei manch einem gemischte Gefühle hervor. Aber wie kritisch man auch immer diese Topclubs betrachten mag, sie führen Woche für Woche der Welt vor Augen, dass sich alle, die diesen Sport betreiben, auf dem ganzen Globus an dieselben Regeln halten. Das Fußballfeld wird so zu einem gemeinsamen Rechtsraum, dessen Ordnung von jedem anerkannt werden muss, der sich auf dieses Spiel einlässt. Auch wenn einzelne Situationen oder auch mal eine Schiedsrichterentscheidung umstritten sein können – unumstritten sind die Regeln selbst, nach denen das Spiel abläuft, egal in welchem Land es ausgetragen wird. Aktive wie Offizielle und Fans in aller Welt sind sich einig darüber, dass die geltenden Regeln die alleinige Basis bilden, auf der es möglich ist, ein Fußballspiel durchzuführen. Von dieser Kraft der Regeln kann eine starke Vorbildfunktion für das Zusammenleben der Menschen in jedem Land und für die Gemeinschaft aller Länder ausgehen.

Auch in der Coronakrise, in der die Regierung von Angela Merkel je nach der Entwicklung der Pandemie verantwortungsvoll bestimmte, was an öffentlichem Leben möglich war und wie weit es eingeschränkt werden musste, hat sich der Fußball an die vorgegebenen Regeln gehalten. Darüber hinaus muss in einer offenen Gesellschaft eine Organisation mit dem Vorwurf leben, dass sie für ihre Mitglieder möglichst gute Arbeitsbedingungen aushandelt. Dies gilt auch für den Profifußball hierzulande in der Coronakrise. Aber er hat im Rahmen seiner Möglichkeiten in einer belastenden Ausnahmesituation auch einen Hauch von Normalität geschaffen, indem er zumindest die Durchführung von Spielen ohne Publikum ermöglichte und damit medial ein wenig Ablenkung für Millionen von Fußballfans in dem traurigen Coronaeinerlei gebracht hat.

Corona hat noch einmal in neuer Schärfe die Frage aufgeworfen: Was kann der Fußball unserer Gesellschaft geben? Die ausgeprägte Professionalisierung, die wir seit rund 20 Jahren erleben, lässt sich nicht mehr zurückdrehen. Doch wie kritisch man auch immer zu dieser Entwicklung stehen mag, die mit großen Summen bei der medialen Vermarktung der Spiele einhergeht, man sollte sich immer auch im Klaren darüber sein, dass der Fußball in Deutschland zu einem Wirtschaftsfaktor geworden ist, mit dem allein in den ersten beiden Bundesligen rund 56 000 Arbeitsplätze zusammenhängen und ein Steueraufkommen bei den deutschen Proficlubs in der Saison 2018/19 von 1,4 Milliarden Euro. So erfreulich diese Erträge aus dem Profifußball für den Staatshaushalt sind, so wenig fördern sie allein bereits den Zusammenhalt der Gesellschaft. Als ich im September 2017 mit der Bundeskanzlerin zu einem Interview zusammenkam, hat sie von Sorgen in der deutschen Bevölkerung gesprochen – vom Armutsrisiko vor der Rente, von Ungerechtigkeiten bei Lohnunterschieden zwischen Frauen und Männern, von extremen Belastungen von Menschen in Pflegeberufen. Was einen Teil ihrer Professionalität als Kanzlerin ausmacht, für den Abbau dieser Nöte und Ungerechtigkeiten Verantwortung zu übernehmen, sehe ich auch als Anspruch an meine Professionalität im Hinblick auf die Vorbereitung der EURO 2024 in Deutschland – nämlich auf einen Ausgleich der Interessen zwischen den verschiedenen Bereichen des Fußballs hinzuarbeiten und um wechselseitiges Verständnis für die Anliegen des Profisports wie des Amateursports zu werben.

Dazu gehört, unmissverständlich festzustellen, dass eine Entkoppelung zwischen dem Profifußball und dem Amateursport stattgefunden hat. Dies gilt in besonderer Weise für die bereits erwähnten internationalen Topclubs und ihre Spieler, die Vertreter einer extremen Leistungsgesellschaft sind. Man darf aber nicht vergessen: Diese Clubs bringen jene Handvoll Spieler hervor, die als Nationalspieler ein Land repräsentieren, und wenn sie über das entsprechende Auftreten verfügen, sogar Vorbilder im Hinblick auf Leistungsbereitschaft und Disziplin sein sowie in der Heimat integrierend wirken können. Was die meisten Proficlubs als Wirtschaftsunternehmen nicht mehr leisten können, ist, ihren Fans eine emotionale Heimat zu bieten. Ausgerechnet an solche Vereine Erwartungen nach erlebbarer Nähe heranzutragen, wird mit Enttäuschungen enden.

Dennoch ist der Anspruch der Fans, im Fußballverein auch ein Stück Heimat zu finden, völlig berechtigt (ich selbst suche und finde sie in meinem eigenen Heimatclub, dem FT Gern). Was die Spitzenvereine an Topleistungen auf dem Platz bringen, bringen nicht zuletzt die Amateurvereine an Topleistung, wenn es um das Zusammengehörigkeitsgefühl in der Gesellschaft geht. Sie können bieten, was viele Menschen in einem Sportverein zu finden hoffen. Ohne die zahllosen Ehrenamtlichen in Amateurvereinen, die das Erlebnis des Fußballs erst ermöglichen, indem sie als Trainerinnen, als Platzwart, als Zeugwartinnen, als Schiedsrichter, Ordnerinnen usw. aktiv werden, würde die Basis unseres Sports und zugleich die emotionale Heimat der Fans verlorengehen. Auch sind es vor allem die Ehrenamtlichen in kleinen Vereinen, die in der Jugendarbeit dem Nachwuchs erst vermitteln, was Regeln sind und warum nur durch Regeln das Zusammenleben und das Zusammenwirken von Menschen auf ein gemeinsames Ziel hin funktionieren kann. Den Wert ihrer Leistung kann man gar nicht hoch genug veranschlagen.

Aber es ist nicht genug, ihnen dafür immer nur mit Worten zu danken; es müssen auch die wirtschaftlichen Voraussetzungen geschaffen werden, dass sie weiterhin ihre anspruchsvolle Tätigkeit ausüben können. Der Amateursport ist die beste Schule des Lebens – gleichgültig ob es um Gesundheitsförderung in allen Altersgruppen oder um die Förderung von Integration und Gewaltfreiheit von Millionen junger Menschen geht, egal welchen kulturellen oder religiösen Hintergrund sie haben, egal ob sie arm oder reich sind, aus einem Akademikerhaushalt oder aus Arbeiterfamilien kommen. Deshalb darf der Amateurbereich auch nicht das Armenhaus des deutschen Fußballs werden; er hat einen Anspruch auf bestmögliche Förderung, weil unsere Gesellschaft großen Nutzen aus ihm zieht.

Ebenso wie die Welt vertrauenswürdige Politikerinnen und Politiker braucht, die glaubhaft faire Regeln im Interesse der Bevölkerung aller Nationen vertreten, so braucht auch der Amateursport faire Regeln, wenn es um seine Existenzsicherung und um seine Förderung geht. Jedes Amt stellt seine eigenen Anforderungen an die Professionalität derer, die es wahrnehmen. Angela Merkel hat ihre Professionalität in bewundernswürdiger Weise während 16 Jahren im Bundeskanzleramt unter Beweis gestellt.

»Ich will Deutschland dienen.«
Bewunderung für eine Regierungschefin

Von Freya Klier

2003 – Angela Merkel stand seit drei Jahren der CDU/CSU Deutschlands als Bundesvorsitzende vor, bekam ich eine Einladung, an der neugegründeten Gruppe 2020 mitzuwirken. Es ging darum, wie Deutschland verfasst sein würde im Jahr 2020, um gemeinsame Gedanken zur Umwelt. Wie wird Europa aussehen, was wird die junge Generation einbringen, wie der Stand der Bildung sein, wie werden die Renten für die ältere Generation aussehen? Sind Ost und West inzwischen zusammengewachsen?

2020, das wirkte 2003 auf mich wie eine sehr lange Zeit. Und selbstverständlich gab es von Corona nicht einmal eine Ahnung. Ich war glücklich, zum Mittun gebeten worden zu sein, eines meiner Arbeits- und Vortragsthemen war die Deutsche Einheit, auch die Geschichte der DDR, samt ihrem weitgehend unerforschten Erziehungswesen.

Aus der Gruppe 2020, die an je einem Sonntag im Monat tagte, habe ich viel Wissen geschöpft und begonnen, Angela Merkel zu bewundern. Ich neige eher nicht zum Bewundern von Politikern. Eine Ausnahme bildete für mich Roman Herzog als Bundespräsident: Er führte 1996 den 27. Januar als Tag des Gedenkens an die Opfer des Nationalsozialismus ein. Von ihm wurde ich im selben Jahr mit 20 in sibirische Lager verschleppten Frauen ins Schloss Bellevue eingeladen; Roman Herzog hat dieses auch im Westen gern totgeschwiegene Kapitel, das Hunderttausende von unschuldigen Frauen schmerzhaft betraf, durch seinen Empfang überhaupt erst »gesellschaftsfähig« gemacht.

Und nun, ab 2003, überkam mich ein ähnliches Gefühl der Dankbarkeit gegenüber Angela Merkel. Das lief zunächst als Bewunderung über den Kopf: Ich kannte eine Reihe besonders intelligenter Menschen. Nun lernte ich in der Gruppe 2020 eine weitere kennen, die auch noch gute Laune versprühte – Frau Dr. Merkel.

Als ich zum Beispiel die Herleitung einer Kopfpauschale nicht verstand, bat ich darum, mir die bei Gelegenheit doch etwas mehr zu erläutern – ich war offenbar nicht die Einzige. Angela Merkel versprach Abhilfe, doch erst einmal stand nun ein ökonomisches Thema auf der Tagesordnung. Sie benutzte ihr Handy und leitete die ökonomische Debatte gleichzeitig. Und nach 20 Minuten bekam ich plötzlich ein Blatt über den Tisch gereicht: darauf das Krankenversicherungsmodell der Herzog-Kommission, nachvollziehbar – auf einer Seite! Ich war so begeistert, dass ich das Blatt aufgehoben habe wie ein Autogramm.

Überhaupt stellte ich damals fest, dass Frau Merkel die Künstler und Schriftsteller in beiden Teilen Deutschlands besonders ansprach. Während einer deutsch-französischen Filmpremiere nahe dem Brandenburger Tor bekam Volker Schlöndorff ungewohnt viel Beifall, als er Angela Merkel als Lichtblick in der deutschen Politik erwähnte.

Ich war schon eine Weile in der Gruppe 2020, als der Beitritt der Türkei zu Europa Thema wurde. Eine andere Partei hatte der Türkei vor Jahren das Versprechen einer Aufnahme gegeben. Nur gab es damals noch kein vereintes Deutschland, mit all seinen Schwierigkeiten. Nun pochte die Türkei auf die Einhaltung des Versprechens. Die Umfrage eines europäischen Instituts, wie viele Türkinnen und Türken im Fall eines Beitritts auf das europäische Festland ziehen würden, ergab eine Anzahl von 15 Millionen: Drei Millionen davon würden sich auf verschiedene Staaten verteilen und zwölf Millionen würden nach Deutschland gehen, weil inzwischen ihre Angehörigen hier lebten, die viel Positives berichteten.

Das war diesmal das Thema des Treffens von Deutschen und Engländern, das seit vielen Jahren mal in Oxford, mal in Königswinter stattfand. Nun also Oxford. Die Bundeskanzlerin bat mich, dort das Zusammenwachsen Deutschlands darzustellen, samt seiner Schwierigkeiten. Ich tat das mit Freuden – abgesehen von meinem schlechten Englisch, was lediglich die Übersetzer freute, weil ich den Vortrag in Deutsch hielt und sie nun endlich was zu tun hatten. Die Earls, die – wie mir ein Mitreisender steckte – offenbar sehr interessiert daran waren, die Türken möglichst reichlich auf das Festlandeuropa vorrücken zu sehen, setzten während meines Vortrags plötzlich ihre Hörgeräte auf.

Angela Merkel lag also strategisch genau richtig.

Als sie 2005 ihre Dankesrede zur Nominierung als gemeinsame Kanzlerkandidatin von CDU/CSU hielt, klang ihr Eingangssatz angenehm bescheiden nach dem Gespreize von Gerhard Schröder: »Ich will Deutschland dienen!«, sagte sie.

Oh! Was aber meinte dieser Satz? Darüber dachte ich nun nach.

Zum ersten Mal las ich ihn bei Francis Bacon, einem englischen Philosophen, Staatsmann und ebenfalls Naturwissenschaftler, der ihn ein paar Jahrhunderte zuvor aufschrieb. »Männer an großer Stelle sind dreimal Diener!«, fand er: »Diener des Souveräns oder Staates, Diener des Ruhmes und des Geschäftes, damit sie keine Freiheit haben«.

»Diene deinen Freunden, ohne zu rechnen«, mahnte Gottfried Keller im 19. Jahrhundert – was man aber in jedem Jahrhundert unterstreichen könnte. Mein verehrter Friedrich Schiller sprach in der Wallenstein-Trilogie von »des Dienstes immer gleich gestellter Uhr«, wobei mir dazu heutzutage nicht zuerst die Piccolomini einfallen wie noch im Schauspielstudium, sondern Prinz Philip.

Der Satz passte, je mehr ich darüber nachdachte, teilweise zur Bundeskanzlerin. Ein bisschen ging er in die Richtung Friedrich II. von Preußen: »Die erste Bürgerpflicht ist, seinem Vaterlande zu dienen.« Das ist o. k., doch kann das völlig danebengehen, wenn das

Vaterland nichts taugt, wie wir zweimal in unserer jüngeren Geschichte erfahren mussten.

Dass Angela Merkel niemals Geld und Ähnliches beiseiteschaffen würde, war ich von vornherein zu wetten bereit, und das nicht nur, weil leuchtende Schätze Naturwissenschaftler am wenigsten interessieren. Auch »Macht« ist ein Wort, das für mich an einer bestimmten Männerart klebt.

Bei »Demut« – einem Begriff, den Mahatma Gandhi verwendete, spürte ich zum ersten Mal, dass Angela Merkel etwas in diese Richtung empfunden haben muss: »Demut bedeutet beharrliches Bemühen im Dienst an der Menschheit. Gott ist immer im Dienst.«

Da ist für die gläubige Christin Jesus von Nazareth nicht weit, über den im Matthäussvangelium sehr passend geschrieben ist: »Der Größte unter Euch soll Euer Diener sein.«

2009 feierte Deutschland 20 Jahre Mauerfall – es war ein Fest zum Aufatmen, noch immer. Die Kanzlerin war auf der Brücke, über die das erste Mal glückliche Menschen von Ost nach West strömten. Michail Gorbatschow war da und Lech Wałęsa, Joachim Gauck und Wolf Biermann, Norbert Lammert, aber auch Stephan Krawczyk und ich. Dazu viele, die an einem Spätabend im November 1989 einfach losgelaufen sind. Auch 20 Jahre später gab es Tränen.

Die Zeitungen schrieben am nächsten Tag:

Kanzlerin Merkel rechnet mit DDR als Unrechtsstaat ab

In den Zeitungen von 2009 warnte sie vor einer Verklärung des SED-Staates und forderte von der Linkspartei eine Klärung ihres Verhältnisses zur DDR-Vergangenheit. Auf einer Veranstaltung in Berlin sagte sie, Freundschaften und glückliche Ereignisse zögen sich durch die Biografie jedes Menschen, der in der DDR gelebt habe. Es seien Kinder mit viel Liebe großgezogen worden, es habe schöne Weihnachtsfeste und sehenswerte Theaterstücke gegeben. Aber: »Das ändert nichts daran, dass die DDR ein Unrechtsstaat war.« Überwachung und Bespitzelung seien ständig anwesende Begleiter des täglichen Lebens gewesen. Das SED-System habe auf

»einem alles durchdringenden Leben in Lüge« gefußt, erklärte sie
auf der besagten Tagung »Vor 20 Jahren – Am Vorabend der Fried-
lichen Revolution«.

Und sie fügte noch etwas Wesentliches hinzu: Es habe eine
Grundstruktur der Verängstigung gegeben. Ein offenes Wort konnte
das Ende der Karriere gleich der ganzen Familie bedeuten, sagte sie.
Das SED-Regime habe sich seine eigene Wahrheit geschaffen. Diesem System habe die Bürgerrechtsbewegung gegen die Fälschung
der DDR-Kommunalwahl am 7. Mai 1989 die Maske vom Gesicht
gerissen.

Der Bundeskanzlerin verdanke ich einige der spannendsten Tage
meines Lebens. Sie bekam nämlich 2011 von Barack Obama die
Presidential Medal of Freedom im Weißen Haus überreicht. Ich war
gerade mit der Adenauer-Stiftung Hannover zu Schulveranstaltungen unterwegs, als die Nachricht aus Berlin eintraf. Im Juni sollte es so weit sein, also schon bald. Und ich durfte mitfliegen! Ich
brauchte sofort ein Foto im amerikanischen Format – eine Besor-
gung, die kein Problem in Hannovers Innenstadt darstellte. Und ich
musste auf der Stelle für die amerikanische Botschaft einen schwierigen Fragebogen ausfüllen. In Englisch versteht sich. Die Fragen
waren kompliziert – ich sah meine Mitreise mit der Bundeskanzlerin dahinschwinden. Dann kam die Nachricht, selbst die bayerischen Beamten kämen mit den komplizierten Fragen nicht klar …
Ein schwacher Trost. Der Leiter der Adenauer-Stiftung Hannover
hat das Problem am Ende gelöst – so konnte ich im Juni 2011 als einer der privaten Gäste der Bundeskanzlerin mit der Delegation nach
Washington reisen; die anderen Gäste waren der Fotograf Andreas
Mühe (Sohn von Ulrich Mühe), der ZDF-Moderator Thomas Gott-
schalk und der Fußballtrainer Jürgen Klinsmann, der zu dieser Zeit
Berater eines kanadischen Teams war.

Es waren aufregende Tage. Und dann bekam die deutsche Kanzlerin von US-Präsident Obama bei einem Staatsbankett im Weißen
Haus die höchste zivile Auszeichnung der USA verliehen! Frau Dr.

Merkel war erst die zweite Deutsche, die diese Auszeichnung erhielt: 1999 bekam Altkanzler Helmut Kohl sie für seine Verdienste um die Deutsche Einheit. Angela Merkels Weg von der Wissenschaftlerin in der DDR bis ins höchste deutsche Regierungsamt sei eine »Inspiration« für die freie Welt, schrieb US-Präsident Obama in der Begründung für die Ordensvergabe.

Für unseren PEN (Poets, Essayists, Novelists) deutschsprachiger Autoren im Ausland – früher Exil-PEN genannt und nun eine Art deutsch-amerikanischer Literaturbrücke – ist die deutsche Bundeskanzlerin seit Jahren eine feste Größe im Kampf gegen die Liquidierung von Menschenrechten. Das betrifft unter anderem die Großmächte Russland und China.

Auf unsere Bitte hin hat sich Angela Merkel in China dafür eingesetzt, dass die Künstlerin und Witwe des chinesischen Friedensnobelpreisträgers Liu Xiaobo, der 2017 nur noch zum Sterben aus dem Gefängnis entlassen wurde, vor ihrem absehbaren Tod, der sie im Hausarrest erwartete, mit ihrem Sohn nach Deutschland ausgeflogen werden durfte. Zu einer Gedenkveranstaltung für Liu Xiaobo in einer Berliner Kirche, die eine besondere Bedeutung im DDR-Widerstand hatte, war auch der frühere Bundespräsident Joachim Gauck anwesend. Die Traditionslinie war klar.

»Ich will Deutschland dienen« meint auch, dass Menschenrechte für die Kanzlerin privat ein hohes Gut sind.

Der Präsident unseres PEN-Zentrums deutschsprachiger Autoren im Ausland, Guy Stern, hat Angela Merkel in einer solchen Aktion kennengelernt. Eigentlich heißt er Günter Stern, ist 1922 in Hildesheim geboren und jüdisch, weshalb ihm in Nazideutschland der Tod vorbestimmt war. Doch während seine gesamte Familie ermordet wurde, gelang dem 15-Jährigen mithilfe eines Onkels in Amerika die rechtzeitige Flucht.

Dort wurde er als Guy Stern ein deutsch-amerikanischer Literaturwissenschaftler. Dr. Stern übernahm Professuren für Deutsch an verschiedenen amerikanischen Universitäten; nach dem Mauerfall führten ihn Gastprofessuren auch nach Freiburg im Breisgau, nach Frankfurt am Main, nach Potsdam und München.

Noch immer ist er Direktor eines Instituts des Holocaust-Museums in Detroit. Und als solcher traf er auch auf die deutsche Bundeskanzlerin:

»Ich selbst habe eine gute Erinnerung an Frau Merkel. Hatte sie einmal im Leo Baeck Institut in New York getroffen. Damals war ich Mitglied im Ausschuss des Instituts. Die Bundeskanzlerin war aus einem anderen Anlass nur kurz in New York und erhielt sofort mehrere Einladungen. Sie lehnte alle ab – außer der des LBI. Es war zwar nur eine Stippvisite, aber diese hat gezeigt, wo sie ihre Prioritäten setzt.

Was aber wirklich erfreulich war, ist Folgendes:

Wie Du weißt, bin ich am örtlichen Holocaust Memorial Center als Direktor für das International Institute of the Righteous tätig. In dieser Funktion habe ich mich in Deutschland um die Anschaffung eines Original-Güterwaggons bemüht, in dem aller Wahrscheinlichkeit nach Juden gen Osten deportiert wurden.

Dieser Waggon schmückt heute den Eingangsbereich des Museums, nachdem er für eine erhebliche Summe repariert werden musste. Aus diesem Anlass und mit der Bitte um Zuwendungen für die Kosten hatte ich mich ans Auswärtige Amt und an Frau Merkel direkt gewandt. Die Zuwendung wurde bewilligt.«

Angela Merkel verhält sich konsequent, doch arbeitet sie meist ohne Mediengetöse. Und manchmal übernehmen ihr Nahestehende die Menschenrechtsarbeit: Als Putin die kriegerische Destabilisierung der Ostukraine begann, wandte sich die Universität Charkiw an unseren PEN mit der flehenden Bitte, sie nicht abzuschreiben. Ich gab das weiter – um die deutsch-ukrainische Universitätsbeziehung kümmerte sich dann Professor Joachim Sauer über ein Gremium der Humboldt-Universität, dem er angehörte.

Menschenrechte sind für die scheidende Bundeskanzlerin nie ein rein akademisches Thema. Und beim Stichwort Flüchtlinge und dem Jahr 2015 outete ich mich schon bald als Merkel-Fan! Ich sah die ungeheure Brutalität eines Orbán, der bei sengender Hitze Tausende syrischer Flüchtlinge mit vielen Kindern auf einem Bahnhof in Budapest sitzen ließ – ohne Trinken, ohne Essen. Eine ungarische Journalistin stellte einem Großvater, der mit einem kleinen Kind auf dem Arm flüchtete, ein Bein, sodass die beiden hinfielen.

Und so war ich glücklich, als die Flüchtlinge letztendlich Einlass in Deutschland bekamen – dank der Bundeskanzlerin und dank der bayerischen Grenzer. Ja, vieles holperte und stolperte danach, es gab keine Erfahrung, und es wurden unkontrolliert mehr. Doch zwei sehr verschiedene persönliche Erfahrungen sind mir bis heute präsent:

Positiv überrascht hatte mich, dass eine große Gruppe Vietnamesen in unserer Kirchgemeinde ein Empfangsessen für 100 Flüchtlinge aus Syrien zubereitete: »Wir sind damals von der Cap Anamur gerettet worden«, begründeten die Menschen ihr liebevolles Engagement. »Dank Rupert Neudeck geht es uns heute gut hier – nun möchten wir etwas davon zurückgeben!«

Zu Tränen gerührt hat mich auch der Freundeskreis meines Enkels in der zweiten Klasse einer Kreuzberger Grundschule: Auf die Frage, was man denn für die verängstigten Flüchtlingskinder tun könnte, fanden die Berliner Knirpse, man müsse ihnen unbedingt das Naturkundemuseum zeigen. Organisiert haben das am Ende die Johanniter – doch gefreut haben sich alle Teilnehmenden, die großen und die kleinen.

Ich glaube, dieses »Ich will Deutschland dienen« von Angela Merkel meint auch, dass sie die Atmosphäre schaffen will für ein solidarisches Miteinander in unserem Land. Die Bundeskanzlerin demonstriert das nicht pompös, sondern lebt es selbst. So sah man auch erst später und eher zufällig in einer Filmaufnahme, dass sie den schwer kranken Alexei Nawalny in der Berliner Charité besuchte.

Apfelkuchen und Don Carlos.
Begegnungen mit Angela Merkel

Von Ulrich Matthes

Als das Fernsehen noch schwarz-weiß war, erfand man ein Gesprächsformat, das den lakonischen Titel »Zur Person« trug, mit dem ebenso lakonischen, aber hartnäckig klugen Günter Gaus als Gastgeber. Er trennte althanseatisch das s vom t und war auch sonst ganz unverwechselbar großartig, die Älteren werden sich erinnern. Es gibt berühmte Gespräche, mit Hannah Arendt oder Gustaf Gründgens, die immer wieder mal aus dem Archiv geholt werden. Sie sind, ich vermeide die Wertung, mit heutigen Talkshows nicht vergleichbar.

Ich erinnere mich, dass ich in einer dieser Sendungen, es war 1991, zum ersten Mal die junge Ministerin für Frauen und Jugend Angela Merkel etwas ausführlicher erlebte. Sie war wirklich in allem ein Gegenbild zu der Machtmaschine Helmut Kohl und sollte doch in jenen Wochen damals zu einer seiner Stellvertreterinnen gewählt werden. Ich erinnere mich, dass mich diese Frau in ihrem vorsichtigen, suchenden Reden, das aber gleichzeitig sehr selbstbewusst war, beeindruckte. Sie erzählte mit großer Selbstverständlichkeit von ihrem Leben in der DDR und hatte spürbar Lust auf neue Herausforderungen. Dennoch: Sie war »Kohls Mädchen« und dadurch, für mich, mit Vorsicht zu genießen.

Ihren Aufstieg in der katholischen Männerpartei CDU nahm ich mit einer Mischung aus Verwunderung, Amüsement und steigendem Respekt zur Kenntnis.

Bevor ich Angela Merkel dann auch in persona kennenlernte, habe ich den Apfelkuchen ihrer Mutter kennengelernt. Also nicht nur kennengelernt, auch gegessen. Er war gut.

Gegen Ende der 1990er Jahre hatte mich die Frau meines ehemaligen Konfirmationspfarrers gebeten, jedes Jahr im Spätsommer in Brandenburger Dorfkirchen eine Lesung zu machen. Vielleicht Fontane, der ginge immer, die Spenden danach kämen dem reparaturbedürftigen Dach zugute oder dem Altar. Das schien auch mir, wenngleich ich nicht gläubig bin, eine gute Sache.

2003 schlug man mir Alt Placht bei Templin vor: Das dortige Kirchlein im Grünen, so auch dessen offizieller Titel, sei ein besonderes Schmuckstück, und der Vater der damals Noch-nicht-Kanzlerin werde als Hausherr einleitende Worte sprechen. Ich war neugierig, natürlich. Als ich an diesem tatsächlich idyllischen Ort eintrudelte, legte Horst Kasner in der noch leeren Kirche gerade Bibeln aus. »Ehrfurchtgebietend«, murmelte es in mir, »von Weitem wie Gregory Peck als Kapitän Ahab. Nur ohne Harpune ...«

Nach der Lesung ging's eine Hühnerleiter hoch zu erwähntem Apfelkuchen. Angela Merkels Mutter war auf ganz andere Art ebenso eindrucksvoll: Auch jetzt noch, im hohen Alter, als Englischlehrerin tätig, hatte sie ein sofort spürbares Talent zur Kommunikation: herzlich, zugewandt und lachlustig schien sie der Counterpart zu ihrem stillen, ernsten Mann zu sein. Dieser schickte mir ein paar Tage danach ein Foto der Veranstaltung mit ein paar Zeilen. Die beiden ersten Sätze seien hier, durchaus mit Rührung, zitiert: »Vielleicht sind Sie geneigt, beiliegendes Foto in Ihre Sammlung aufzunehmen. Eine wirklich gute Innenaufnahme haben wir noch nicht.«

Ich glaube, es war im Sommer drauf, da stand dann bei einem Gartenfest von Volker Schlöndorff plötzlich die Tochter des Paares vor mir, mittlerweile wohl Kanzlerkandidatin, zusammen mit ihrem Mann Joachim Sauer. Ich hatte bis dahin bei Bundestagswahlen ausschließlich die SPD gewählt, und dabei sollte es 2005 auch bleiben. Meine Sympathie für Gerhard Schröder war nicht besonders groß, damals aber war man/ich noch nicht so wechselwählerisch wie heute, und so wollte ich erneut mein Kreuz bei der SPD machen. Wie Merkel wohl sein mag, jetzt hier privat, dachte ich, und sprach sie, bevor sich alles in Sechsergrüppchen setzte, auf den Apfelkuchen ihrer Mutter an. Dieser schien mir ein passenderes Thema für die erste Kontaktaufnahme zu sein als beispielsweise ihre Rede auf dem Leipziger Parteitag 2003 ...

So verbrachten wir also in einer (fast) zufällig zusammengewürfelten Runde den lauen Abend miteinander, und ich konnte ein paar der schönsten und ausgeprägtesten Eigenschaften Merkels zum ersten Mal von Angesicht zu Angesicht erleben: ihr vorurteilsfreies Interesse an anderen Menschen, die völlige Abwesenheit von Arroganz, ihre Neugierde. In der vornehmlich politischen Runde wurde der Schauspieler, vor allem zu Beginn, eher freundlich geduldet, nur Merkel bezog mich mit ein, stellte auch mal eine Frage, hörte zu. Vermeintliche (oder reale) Hierarchien kümmern sie einfach nicht, es geht ihr um die Sache, oder um den Menschen. Auch ihr Humor, der zum Glück gleichermaßen spöttisch wie selbstironisch ist, wurde mir schon an diesem Abend sehr deutlich. Manchmal kicherte sie wie ein Mädchen, und ich konnte sie mir ohne Mühe kurz als Templiner Schülerin vorstellen, rotwangig auf dem Schulhof oder beim Singen in der Aula. Die Bedeutsamkeits-Maskierung, die sich gerade manche Politiker anlegen, finde ich oft kurios und traurig. Mansplaining und Merkel – größtmöglicher Gegensatz.

Jedenfalls dachte ich an dem Abend: Die ist aber sympathisch! (Die CDU wollte ich trotzdem nicht wählen.) Als alles aufbrach, war ich so gutgelaunt oder betrunken, ihr meine Telefonnummer zu geben: um Karten zu bestellen fürs Deutsche Theater hier in Berlin – aber mit einer Boulette danach! »Können wir gerne machen, aber die Karten zahl' ich schon selber.« Nach ein paar Wochen klingelte, ich war gerade an der Edeka-Kasse, mein Handy. »Merkel ...«

So fing das an.

In wechselnder Begleitung ist sie dann immer wieder mal ins Theater gekommen, das für sie, wie die Oper oder das Konzert, weit mehr ist als ein Anlass zur Repräsentation. Sie fragt dann nach inszenatorischen oder spielerischen Details und denkt laut nach über das gerade Gesehene: Wie entstehen Kompromisse in der Politik (nach einer »Ödipus«-Aufführung), wie funktioniert der Druck der öffentlichen Meinung (nach »Menschenfeind«) – alles Assoziieren manchmal eingeleitet durch ein nicht kokettes »Kenn mich nicht aus mit Theater, aber …«.

Wir haben uns dann im Lauf der Jahre auch außerhalb des Deutschen Theaters ab und zu verabredet, mal in Restaurants, mal im Kanzleramt. Und jedes Jahr ein Mal, das ist inzwischen eine schöne Tradition, lese ich im Kirchlein im Grünen, und sie sitzt, oft in familiärer Begleitung, in der ersten Reihe.

Merkel, die ja öffentlich immer wieder auch als kühle Technokratin der Macht wahrgenommen oder denunziert wird, habe ich in unterschiedlichen Situationen ganz anders erlebt: begeisterungsfähig, empathisch, bis zu feuchten Augen rührbar. Dass ich hier nicht ins Detail gehe, hat mit einer – zumindest von ihr – nie ausgesprochenen Verabredung zur Diskretion zu tun, an die ich mich in all den Jahren immer gehalten habe. Ich fand es selbstverständlich, und es wurde mir durch ihr Vertrauen gedankt. Es gab Momente, in denen sie derart offen über politische Situationen oder Weggefährtinnen und Weggefährten sprach, dass ich kurz angemerkt habe, ich behielte das nun aber wirklich für mich. Sie ignorierte das jedes Mal (»ja ja«), wahrscheinlich, weil sie es nur natürlich fand. Ich ahne, Staatsgeheimnisse waren nicht darunter …

Eine Restaurant-Verabredung kurz vor Coronabeginn im Januar 2020 ist mir in Erinnerung. Schon zur Begrüßung meinte sie: »Na, Sie sehen ein bisschen graumäusig aus, geht's Ihnen nicht gut?«

Mein Seelenzustand war in den Wochen damals akut etwas verwackelt, und sie nahm sich dann die erste Dreiviertelstunde des Abends Zeit für ein Gespräch ausschließlich darüber.

»Hat sie keine anderen Sorgen?«, dachte ich zwischendurch für mich. Hatte sie bestimmt, aber nicht in dieser Stunde. Vielleicht ist das ein besonderes Talent von ihr, augenblickshaft sein zu können. Ganz gegenwärtig. Was sie mir damals sagte, war nützlich, unsentimental und (dadurch) trostreich. Dieses Unsentimentale, dieses Kein-Gewese-machen hat sie, da bin ich mir ziemlich sicher, schon zu Hause in der Kindheit gelernt, als Tochter dieser Eltern, als älteste Schwester zweier Geschwister – und hat dann später ganz selbstverständlich einen weltweit bewunderten, wenngleich zu Hause auch immer wieder kritisierten Politikstil daraus gemacht. Den mindestens streitbaren Satz Helmut Schmidts »Wer Visionen hat, soll zum Arzt gehen« hätte sie nie gesagt, aber doch ziemlich beherzigt. Vielleicht war das ihre große Stärke und, in manchen Situationen, Schwäche zugleich.

Als ich nach dem Essen zu Hause war, habe ich noch länger über die Diskrepanz zwischen öffentlicher und privater Person nachgedacht, die Angriffe und den ungeheuren Druck, dem man als Spitzenpolitikerin ausgesetzt ist. Warum die Kanzlerin, warum Angela Merkel ihre empathische Seite öffentlich eher zurückgehalten hat, darüber mag ich nicht groß spekulieren. Nur so viel: Vielleicht hat in den Monaten der sogenannten Flüchtlingskrise neben allen möglichen rein politischen Erwägungen auch der Wunsch bei ihr eine Rolle gespielt, sich als der empathische Mensch zu zeigen, der sie auch ist.

»Wenn wir jetzt anfangen, uns noch entschuldigen zu müssen dafür, dass wir in Notsituationen ein freundliches Gesicht zeigen, dann ist das nicht mein Land.«

Ich habe dann 2017 CDU gewählt. Zum ersten Mal im Bund seit fast 40 Jahren. Ich dachte, ich bin ihr das jetzt schuldig: aus Respekt für ihre Entscheidung, Geflüchtete aufzunehmen, und für insgesamt gute zwölf Jahre bis dahin mit ihr. 2009 hatte ich mich für Frank-Walter Steinmeier eingesetzt. Sie kommentierte damals mein SPD-Geständnis lachend mit »Ist schon o. k., es wählen mich ja genug andere!« – Jetzt, 2017, freute sie sich aber doch sehr, als ich, gespielt zähneknirschend, von meiner Stimmabgabe für sie berichtete.

Sie hat mir mal erzählt, dass sie zu Hause besonders gern Verdis »Don Carlo« hört. In einer Schiller-Aufführung am Deutschen Theater spielte ich ein paar Jahre lang König Philipp. Ich hatte diese Rolle wahnsinnig gern. Es geht bei Philipp, in dessen Reich die Sonne niemals untergeht, wesentlich um die Gleichzeitigkeit von größter Macht und größter Ohnmacht. Auch um die Einsamkeit des fast immer öffentlichen Herrschers. *Forbes* kürte Angela Merkel Anfang 2021 zum zehnten Mal in Folge zur mächtigsten Frau der Welt. Was mag in einem Menschen vorgehen, der so was über sich liest – und das auch noch zehn Jahre hintereinander?! Gewöhnt sie sich daran, spottet sie darüber, ist sie stolz? Von allem ein bisschen? Womöglich hört sie sich auch deshalb immer wieder mal diese Verdi-Oper an ...

Und ab Herbst? Die lange Coronazeit mit den außergewöhnlichen Einschränkungen der Bürgerrechte, die sie mitverantworten musste, hat ihr sehr zugesetzt. Wie uns allen. Für die Bewältigung einer Pandemie gab es kein politisches Handwerk, auf das man hätte zurückgreifen können. Fehler wurden gemacht, auch von ihr. Ihr Anspruch an sich selbst wie an andere war immer hoch.

Nach all diesen Jahren in der Politik von 1990 bis heute, nach all dem Druck kann ich mir vorstellen, dass sie denkt: Nun ist dann auch mal gut ...

Und ich kann mir auch vorstellen, dass ein Freund von mir, Wähler der Linken immerhin, Recht behalten könnte, als er grinsend meinte: »Merkel? Ich glaub, in ein paar Jahren werd' ich sie vermissen.«

Aber sie ist ja nicht weg. Im Theater wird man sie wohl öfter sehen als früher. Mit oder ohne Boulette danach.

Angela Merkel und die Wechselwirkung von Macht, Vernunft und Empathie

Von Nico Hofmann

16 Jahre sind – gerade in der Politik – eine ziemlich lange Zeit. Und doch sind es am Ende möglicherweise nur ein paar Monate, die darüber entscheiden, welches Bild – und welche Bilder – uns von der Kanzlerschaft Angela Merkels als prägend in Erinnerung bleiben werden.

Ihre Partei, die CDU, hat am 16. Januar 2021 einen neuen Vorsitzenden gewählt. Es war bereits der zweite Versuch, die Nachfolge von Angela Merkel zu regeln, und wir werden sehen, ob er erfolgreicher verläuft als der erste. Schon vor zwei Jahren, als sie ihren Rückzug vom Parteivorsitz ankündigte, begann das große Resümieren. Abgesang war der Tenor, nicht viele hätten damals darauf gewettet, dass Angela Merkel bis zum regulären Ende der Legislaturperiode im Amt bleibt.

Seit der Wahl des neuen CDU-Vorsitzenden konnten wir wieder jede Menge Artikel lesen, die sich nicht nur mit dem neuen Vorsitzenden beschäftigten, sondern auch die Ära Merkel für beendet erklärten. Ich halte das auch heute noch für zu früh. Denn wir befinden uns in jeder Hinsicht nicht am Ende. Sondern mittendrin. Mittendrin in einer Pandemie, die in ihrem Ausmaß und ihren Folgen sicher historisch zu nennen ist. Wir alle müssen uns täglich mit etwas auseinandersetzen, für das wir auf keine Erfahrungsmuster zurückgreifen können: Niemand von uns hat so etwas zuvor erlebt. Diese Pandemie trifft uns existenziell. Und sie trifft jeden von uns, unabhängig von Geld oder Macht und Einfluss.

Gleichzeitig stehen wir an einem Punkt, an dem wir spüren, dass die Verfasstheit unseres demokratischen Systems gerade neu definiert wird. Es steht viel auf dem Spiel dabei. Wie widerstandsfähig ist diese Demokratie? Die Bilder von der Erstürmung des Kapitols in Washington am 6. Januar 2021 durch einen für kein Argument mehr zugänglichen Mob haben uns auch deshalb so verstört, weil es kaum ein stärkeres Bild für die Zerbrechlichkeit einer Demokratie gibt, die wir für unerschütterbar gehalten haben. Uns beschleicht die bange Ahnung, dass es nicht nur in Amerika, sondern auch hier bei uns, in Europa, in Deutschland, möglicherweise nicht viel braucht, um Undenkbares geschehen zu lassen.

Die Pandemie wirkt dabei als Katalysator und als Brandbeschleuniger gleichermaßen in einem Prozess, der darüber entscheidet, wie wir in Zukunft miteinander leben werden: wie stabil diese Gesellschaft sein wird, wie geeint oder gespalten, wie demokratisch oder autoritär, wie solidarisch oder egogetrieben, wie offen-divers oder hermetisch-reaktionär. Ausgang offen.

Ich gebe es gern zu: Es beruhigt mich, dass die Bundeskanzlerin in dieser Situation Angela Merkel heißt. So pathetisch es klingen mag, es lässt mich hoffen, dass unsere Chance, gut durch diese doppelte Krise zu kommen, dadurch ungleich größer ist. Nicht weil ich glaube, dass Angela Merkel im Alleingang alle Probleme lösen kann – welcher Politiker könnte das? – sondern weil sie neben all ihrer Erfahrung einen Stil und einen Ton in die deutsche Politik gebracht hat, dessen Wirkung und Wert gerade jetzt so bedeutend erscheint wie selten zuvor. Auch weil er wie das Gegenmodell zu einem politischen Gebaren wirkt, das wir derzeit überall um uns herum erleben. Er ist leise, wo sonst die lauten Töne die Debatte dominieren, ohne dadurch weniger machtbewusst zu sein. Er ist getrieben von einer analytischen Rationalität, wo die populistische Behauptung zunehmend das politische Argument ersetzt. Und vor allem setzt er einen weiblichen Kontrapunkt zu dem männlich dominierten Politnarzissmus, der in dem ganzen testosterongesteuerten, männerbündlerischen Politbetrieb nicht nur wohltuend heraussticht, sondern auch unbedingt notwendig ist. Weil er nicht nur der Macht folgt, sondern politisches Handeln mit Empathie verbindet.

Der Politikstil Angela Merkels ist lange verkannt worden. Oft wurde ihr Haltungs- und Visionslosigkeit vorgeworfen und dass sie ihr politisches Handeln nach dem Weg des geringsten Widerstandes und dem Erhalt der Machtoption ausrichte. Noch ihre Entscheidung zum Atomausstieg nach dem Reaktorunfall in Fukushima wurde ihr als spontane populistische Wende ausgelegt. Ich habe das anders empfunden. Mit diesem Entschluss und mit der Entscheidung, angesichts des Flüchtlingsstromes die Grenzen nicht zu schließen, hat sie die wichtigsten Themenfelder unserer Zeit besetzt: die Frage nach unserer Verantwortung für den Umgang mit unserer Umwelt und der Bedeutung von Migration. Nicht einem billigen Kalkül folgend, sondern aus der humanen Überzeugung heraus, das zu tun, was in dem Moment notwendig war – und noch immer ist.

Die Wechselwirkung von Macht, Vernunft und Empathie kommt gerade in der Endphase von Angela Merkels Kanzlerschaft besonders zum Tragen. Weil sie sich nun perfekt mit dem Gewicht der Erfahrung eines langen Politikerlebens verbindet, und mit einer persönlichen Lebenserfahrung. Und sie wird nahbarer, weil Angela Merkel sich anders als früher, bei dem was sie tut, mehr in die Karten schauen lässt.

Es ist bemerkenswert, welche Autorität und souveräne Unabhängigkeit diese Kanzlerin zu einem Zeitpunkt ausstrahlt, an dem viele ihrer Vorgänger nur noch lähmend am Amt hingen. Die politische Integrität Angela Merkels ist dabei immens. Aber auch ihre persönliche – undenkbar, dass diese Politikerin ihr Handeln einem persönlichen, gar einem materiellen Vorteil unterwerfen würde. Diese über jedem Materialismus und Egoismus stehende Integrität einer Bundeskanzlerin ist derzeit vielleicht der wichtigste Stabilisator, den wir in einer Welt besitzen, die droht, aus den Fugen zu geraten.

Es liegen weitere komplizierte Monate vor uns, die wir vermutlich nach wie vor ebenso unterschätzen wie das Grundsätzliche der gesellschaftlichen Auswirkungen, die sie zur Folge haben werden. Es wird nicht nur darum gehen, die Pandemie endgültig zu besiegen, sondern auch darum, eine Spaltung der Gesellschaft zu verhindern. Es gilt, die soziale Balance einer Gesellschaft zu erhalten, die sich angesichts der Krise nicht nur dem wirtschaftlichen Materialismus unterwerfen darf. Ob wir das schaffen, wird auch darüber entscheiden, ob wir Vielfalt und Diversität wirklich miteinander leben können, oder ob Ausgrenzung und Egoismus (wieder) die Oberhand gewinnen.

Am 21. September ist Bundestagswahl. Die Welt wird zu diesem Zeitpunkt möglicherweise eine andere sein. Und Angela Merkel dann nicht mehr Bundeskanzlerin. Noch fällt es mir schwer, mir das vorzustellen.

Nachklang: Es waren nur wenige Minuten, nachdem die Welt eine leicht andere Fassung des obenstehenden Textes anlässlich des CDU-Parteitags und der damit verbundenen Wahl des neuen CDU-Parteivorsitzenden im Januar 2021 online gestellt hatte, da sammelten sich bereits über tausend vernichtende Urteile. Die Kritik entzündete sich nicht nur am Blick auf die Kanzlerin, sondern an der Politik schlechthin: Empathie wurde in den Kommentaren als Berechnung empfunden, Entscheidungen zu Fukushima oder der Flüchtlingspolitik als politisches Kalkül. Die Komplexität des Textes wird zurechtgestutzt: rasche Hysterie im Zeitgeist ist angesagt, nicht der Diskurs. So scheint also Tagespolitik zu funktionieren: zugespitzt, nur aus dem Moment geboren, rasch in der klaren Zuordnung zum politischen Lager, klare Kante gegen den vermeintlichen politischen Feind. Ich war überrascht, auch ein wenig schockiert – vor allem über das Tempo und die Heftigkeit, mit der sich digital Mehrheiten und Stimmungsbilder erzeugen lassen. Ich dachte an meinen 95-jährigen Vater, jahrzehntelang politischer Korrespondent der *Rheinpfalz*. Mein Vater hatte zwei politische Vorbilder: Willy Brandt und Helmut Kohl. Brandts Kniefall in Warschau war für meinen Vater, der als deutscher Soldat im Krieg getötet hatte, das Symbol einer ganzen Generation – eine tiefe Bitte um Verzeihung.

Mit Helmut Kohl verband er das Verständnis für ein geeintes Europa, ein Europa ohne Krieg: »Beurteilung von Politik braucht Jahre, manchmal Jahrzehnte des Abstands ...«, sagte mein Vater einmal zu mir – in diesem Wissen werde ich meinen Text über Angela Merkel in großem zeitlichem Abstand noch einmal lesen. Ich bin mir sicher, er behält seine Gültigkeit.

Ein Verständnis für die universelle Kraft der Kultur

Von Daniel Barenboim

Angela Merkel hat ohne Zweifel in den letzten fast 20 Jahren maßgeblichen Einfluss auf die politische und gesellschaftliche Kultur in Deutschland, Europa und der Welt gehabt. Dabei ist ihre Biografie sicherlich ein Schlüsselfaktor: Diese ist wirklich »gesamtdeutsch«, Angela Merkel kennt das ehemalige Westdeutschland und die ehemalige DDR gleichermaßen. Sie hat Verständnis für beide Seiten, und das ist natürlich ungeheuer wichtig. Es war sehr schön zu sagen, »was zusammengehört, wächst zusammen«. Aber es gab natürlich gravierende Unterschiede zwischen den Menschen und ihren Erfahrungen und Erwartungen, und eine Bundeskanzlerin zu haben, die beide Seiten so detailliert kannte, war schon von großem Vorteil. Ich finde, sie hat diese Rolle hervorragend ausgefüllt. Jeder Bürger, jede Bürgerin konnte sich von ihr repräsentiert fühlen, egal ob sie aus der Ex-DDR oder aus dem Ex-Westdeutschland kamen. Sie ist weltweit eine der am meisten geschätzten politischen Figuren – alle Bürgerinnen und Bürger Deutschlands können darauf sehr stolz sein.

Sie ist extrem intelligent und sensibel: Sie wusste zum Beispiel, wie man die DDR kritisieren konnte, aber ihre Kritik wurde nicht von einem westlichen Triumphalismus geleitet, der nach dem Fall der Mauer existierte und meiner Meinung nach viel zu viele negative Gedanken und Taten ausgelöst hat, die bis heute nachwirken. Das teilte sie überhaupt nicht und wusste auch die positiven Aspekte der DDR angemessen zu würdigen: Zum Beispiel in der Bildung, in

277

der musikalischen Bildung, war das Niveau in der DDR besonders hoch, so wie auch in der Sowjetunion.

Was ich an ihr besonders schätze ist außerdem ihre Hingabe zur Demokratie. Der Föderalismus, das System von Bund und Ländern, hat viele Vorteile, aber birgt natürlich auch enorme Schwierigkeiten und kann sehr kompliziert sein. Angela Merkel hat diese Komplexität immer navigieren können, ohne die demokratischen Prinzipien zu opfern. Angela Merkel ist auch eine große Europäerin. Die Europäische Union hat sich verändert, sie ist praktisch nur noch eine wirtschaftliche Union, so wie man es jetzt sieht. Die ursprüngliche Idee war natürlich eine ganz andere und viel breiter angelegt. Kultur hat eine entscheidende Rolle gespielt, selbst ein europäischer Fernsehsender wurde so geboren. Heute geht es hauptsächlich, fast exklusiv, um die Wirtschaft. Jeder Kontinent auf dieser Erde hat der Welt etwas gegeben, und der kulturelle Beitrag Europas war und ist sehr wichtig. Ich glaube, das hat Angela Merkel sehr gut verstanden. Sie hat auch persönlich ihren Beitrag geleistet.

Ich erwarte nie von einem Politiker, dass er oder sie unbedingt kulturenthusiastisch ist. Ich finde es natürlich gut, aber es muss nicht sein. Man darf dabei nicht vergessen, dass jemand, der sich für Kultur nicht interessiert, diese fälschlich als elitär einschätzt. Aber man muss erwarten können, dass Politiker die Wichtigkeit der Kultur für die Menschen verstehen. Auch wenn sie damit persönlich nichts anfangen können. Die Kritik an der Kultur, die man oft hört – dass sie zu teuer und elitär sei –, das ist meiner Meinung nach völlig falsch. Kultur hat eine universelle Kraft. Musik zum Beispiel kann gleichermaßen zu Menschen in Afrika, Fernost oder Europa sprechen.

Edward Said hat einmal gesagt, und ich stimme ihm zu, dass die einzige Autorität, die wirklich existiert, die moralische Autorität ist: Man kann sich darum nicht bewerben, und man kann sie nicht kaufen. Ich meine, Angela Merkel hat diese Art von Autorität erreicht. Autorität als Regierungschefin ist das eine, aber die moralische Autorität, die zeichnet sie wirklich aus. Dazu passt vielleicht folgende private Erinnerung: Sie lässt sich nie einladen zu Opern oder Konzerten, sondern kauft sich ihre Karten selbst. Immer. Und das nicht nur in Berlin. Sie kam zum Beispiel mal zu einer Vorstellung von »Tristan und Isolde«, die ich an der Mailänder Scala dirigiert habe, eine Inszenierung von Patrice Chéreau. Und der Intendant erzählte mir, dass sie für ihre Karte zahlen wollte. Er sagte ihr dann, er könne kein Geld von ihr verlangen, weil sie in der königlichen Loge sitze. Denn für die darf man gar keine Karten verkaufen. Sie sagte dann, er solle ihr schreiben, wie viel eine Karte für einen sehr guten Platz in der Scala kostet, und das würde sie dann bezahlen. Das tat sie auch. Moralische Autorität eben.

Nähe, Ferne und Plötzlichkeit.
Angela Merkels politische Kunst
bildphilosophisch gesehen

Von Horst Bredekamp

1. Nah und fern

Am 30. September 2020, einem der letzten strahlenden Sommertage
des Jahres, erklärte Angela Merkel vor einem Millionenpublikum das
Prinzip des exponentiellen Wachstums des Coronavirus als Kanzlerin
und zugleich als Kommunikatorin von Wissenschaft. Am Abend dieses Tages traf sie sich mit Annette Schavan und mir im Kanzleramt.
Wir kannten uns zu diesem Zeitpunkt seit gut 25 Jahren über ihren
Ehemann, Joachim Sauer, mit dem gemeinsam ich seit 1994 in dessen Professorengruppe versucht habe, die Berliner Humboldt-Universität mit jenem Anspruch in Einklang zu bringen, der mit ihrem
Namen und ihrer Geschichte verbunden war. Wir haben bisweilen
neben den gemeinsamen Treffen auch Ausstellungen besucht, so etwa 2011 die »Gesichter der Renaissance« im Berliner Bode-Museum:
spontan, ohne große Ankündigung, und daher auch mit minimalem
Personenschutz. Wegen der Fülle der Besucher war der Blick auf einzelne Skulpturen und Gemälde fast undurchdringlich versperrt. Die
verstohlenen Blicke der Besucher ließen den Konflikt erkennen, dass
einerseits die Kunst gegenüber allen Menschen gleich sei und deswegen kein Platz freigegeben werden dürfe, andererseits es aber geboten
schien, der Kanzlerin die Möglichkeit eines gesonderten Zuganges zu
den Werken zu gestatten. Wann immer sich die zweite Variante zeigte, wehrte Angela Merkel entschieden ab: Kein Privileg!

Das Unprätentiöse dieser Zuwendung hat ihre gesamte Regierungszeit bestimmt, und hiervon war auch die Eindringlichkeit ihrer Vorführung der Coronaverbreitung geprägt, die bis zum Abend fast eine Million Mal heruntergeladen wurde. Angela Merkel war zufrieden, und die Atmosphäre während des Abendessens war entsprechend heiter. Wir sprachen über die Veranstaltung des Vormittages, als Annette Schavan an ein Interview mit Günter Gaus erinnerte, in dem die 37-jährige Angela Merkel als Ministerin und als designierte stellvertretende Vorsitzende der Christlich Demokratischen Union dem legendären Journalisten Rede und Antwort gestanden hatte. Da ich dieses Interview nicht kannte, lud sie dieses Gespräch von YouTube hoch, um für einen Moment die damalige Situation zu vergegenwärtigen.

Angela Merkel, 30.9.2020, Foto: Horst Bredekamp

Aber schon nach den ersten Sätzen waren wir gefesselt von der ruhigen Präzision und der Härte der Fragen sowie der Bereitschaft der Interviewten, nicht mit Floskeln zu antworten, sondern jene Komplexität aufzunehmen, welche die angesprochenen Problemstellungen verlangten. Die Art, teils in langen, durchaus auch komplizierten Sätzen zu antworten und dennoch das protestantische *nihil frustra* nie zu verlassen, war so fesselnd, dass wir dem Interview über einen längeren Zeitraum folgten. Angela Merkel hielt uns das Dokument ihrer eigenen Geschichte entgegen, so dass wir dieselbe Person zu zwei verschiedenen Zeiten betrachten konnten. Trotz meiner Scheu, in dieser eher privaten Situation eine Aufnahme zu machen, hielt ich fest, wie sie sich prüfend ihrem knapp 30 Jahre entfernten Selbst zuwandte.

Die Zusammenstellung einer Person mit dem Bild oder der Verkörperung eines früheren, zumeist jugendlichen Lebensstatus hat in der Kunstgeschichte eine lange Tradition. Es handelt sich bei derartigen Montagen in der Regel um eine Begegnung mit den Möglichkeiten, also um die Latenz dessen, was eine Person idealiter zu werden verspricht, ohne dass gewiss ist, dass es auch eintritt. In der antiken Ikonografie war dies der in Form geflügelter Kinder verkörperte göttliche Funke, der sich in der Realität entzündete oder der durch die Umstände erstickt wurde. In der Begegnung mit dem Genius klärte sich für die jeweils Dargestellten, ob sie den schwierigen Pfad gegangen waren, die Möglichkeiten ihrer Bestimmung auszuschöpfen, oder sie den breiten und bequemen Weg gewählt hatten, sich dieser Anstrengung nicht zu unterziehen. Die berühmteste Fassung bilden Michelangelos Fresken an der Decke der Sixtina, wo die Propheten und Sibyllen von gleichgesinnten oder auch widerstrebenden Genien begleitet werden, die durchaus ein Eigenleben führen und den tatsächlichen Gegebenheiten entgegenstehen können. An all dies fühlte ich mich in dem Moment erinnert. Die stumm lauschende Zwiesprache Angela Merkels mit einer nur eine Generation zurückliegenden, zugleich aber einer anderen Epoche angehörenden Szene hatte den Charakter einer solchen Selbstprüfung, und man sah, mit welcher Einfühlung sich die Dargestellte aus diesem Abstand gewahr wurde.

Jeder Mensch wird sich selbst im letzten Moment ein Rätsel bleiben, sonst wäre er nicht immer wieder durch Momente der Freude und der Verzweiflung überrascht, deren Entstehung und deren Reaktion er nicht in der Hand hat. Dies gilt umso mehr für Personen, durch deren Gedanken und Gemütsbewegungen vielfältige, mächtige und teils übermächtige Energien kollektiver Art hindurchgehen. Eine besondere Eigenschaft Angela Merkels besteht darin, tiefgreifende, den Horizont verkleinernde Störungen und Herausforderungen so weit zu distanzieren, dass die eigene Handlungsfähigkeit zurückgewonnen wird. Zugleich aber gelingt ihr, den hierbei entstehenden Abstand zu vermeiden. In diesem Zusammenspiel von Distanzierung und Näherung liegt eine Gabe, wie sie nur bei wenigen Menschen anzutreffen ist.

Das Zusammenbinden von Nah und Fern, ohne die beiden Pole verschwimmen zu lassen, stellt eine Tradition der Kunsttheorie dar, die auch in andere Bereiche hineingespielt hat und so auch in die Politik. Sie geht wesentlich auf Leonardo da Vinci zurück, der in seinem Malereitraktat von der erstaunlichen Möglichkeit geschulter Augen sprach, vor ein Kunstwerk zu treten und wie in einem Wimpernschlag das Gesamte erkennen zu können: *il tutto* (das Ganze). In der Folge Leonardos ist ausgiebig diskutiert worden, ob nicht eine langwierige und im Prinzip unendlich lange Betrachtung von Kunstwerken notwendig sei, um deren Essenz zu erfassen. Die Überlegung, dass besonders befähigte Rezeptoren auf einen Schlag jedoch das Gesamte erfassen könnten, hat der Philosoph Gottfried Wilhelm Leibniz in seiner Erkenntnistheorie erörtert und mit dem Begriff *coup d'oeil* belegt: dem »Schuss« oder »Schlag« des Auges. Dies galt für ihn auf allen Feldern, vor allem aber auch in Angelegenheiten des Staates, dessen Gegebenheiten und Erfordernisse so angeordnet werden müssten, damit sie vom Souverän »wie in einem Blick«, als *coup d'oeil*, erfasst werden könnten. Im 18. Jahrhundert hat der Polymathematiker Johann Heinrich Lambert die

Forderung nach Diagrammen damit begründet, dass selbst die komplexesten Gegebenheiten wie durch einen *coup d'oeil* erfassbar sein müssten. Dasselbe galt auch für das Militär. Für Carl von Clausewitz entschied diese Fähigkeit darüber, das nicht planbare Sichbewegen in Zonen der Undurchsichtigkeit zu beherrschen und vor allem, höchste Kunst der Feldbewegung, einen Rückzug geordnet durchzuführen und in eine Gegenrichtung umzumünzen. Und schließlich war es die phänomenologische Philosophie eines Edmund Husserl, die sich darin als Erbin der Grundidee von Leonardo erwies, Nah und Fern zusammenzuführen und ein analytisches Panorama zu entwickeln, das über die gewöhnlichen Erkenntnisse und Handlungsschritte hinausführte.[1]

In diesem Motiv verdichtet sich das Charakteristikum Angela Merkels. Ihr Denkstil ist treffend als Kultur des Kompromisses bewertet worden, als Politik des Ausgleichs und der Vermeidung von unüberbrückbaren Gegensätzen. Dieses Vermögen realisiert sich dadurch, dass der *coup d'oeil* Extreme zusammenzieht und damit oft bipolar sich entgegenstehende Positionen verbindet. Das Ergebnis, und hierin liegt die Eigenart von Angela Merkels Begriff von Politik, zielt nicht auf eine bereits prästabilierte Harmonie; vielmehr stellt sich diese erst dort ein, wo die Ausgleichsfunktion ihren angemessenen Ort findet. Die »Mitte«, hierin liegt ein oftmals vorgebrachtes Missverständnis, ist nicht vorgegeben, sondern sie vollzieht sich dort, wo die Gesamterfassung des *coup d'oeil* einen Punkt des Kompromisses findet.

2. Die Kunst des subito

Dem steht die nicht weniger deutliche Kapazität gegenüber, Entscheidungen treffen zu können, die für die Beteiligten schmerzlich und oft unumkehrbar sind und die wie von einer weit entfernten Hand getroffen wurden. Auch diese Fähigkeit hat mit dem *coup d'oeil* zu tun, nun aber nicht mit der Komponente des *tutto*, des Gesamten, sondern des *subito*, das Leonardo in seinem Maltraktat ebenfalls ausgeführt hat: die Plötzlichkeit. Es ist der aus dem blitzartigen Erfassen der Gesamtsituation mögliche Mut zur überraschenden und oft auch erschütternden Dezision. Am Beispiel der Ausnahmesituation habe ich dieses Gegenmotiv mit Angela Merkel erörtert, und sie hat bestätigt, dass der überwältigende Schockcharakter von Bildern diese Komponente in bestimmten Situationen bestärkt, wenn nicht veranlasst.[2]

Zwei der markantesten Ereignisse ihrer Regierungszeit waren durch dieses Phänomen bestimmt. Wenige Monate nachdem eine Verlängerung der Laufzeiten der Atomkraftwerke vereinbart war, geschah das Unglück von Fukushima. Die Bilder der Brände in den Reaktoren führten Angela Merkel zur Entscheidung, eine Kehrtwende um 180 Grad vorzunehmen. Angesichts dessen, dass selbst die gewissenhaftesten Vorsichtsmaßnahmen in einem hochtechnisierten Land wie Japan nicht verhindern konnten, dass die Brennkammern über einen schier unabsehbaren Zeitraum isoliert und abgeschirmt werden müssen, entstand der instantane Entschluss, die Atomkraft in der Bundesrepublik an ein Ende kommen zu lassen.

Reaktor in Fukushima, Japan, nach einer zweiten Explosion, 14.3.2011,
© picture alliance/dpa

Das zweite Ereignis, die Antwort auf die Flüchtlingskrise 2015, war nicht weniger ein Produkt des *coup d'oeil.* Die Elendstrecks auf den Autobahnen, die selbstmörderischen Überfahrten auf Schiffen und die bedrückenden Situationen auf Bahnhöfen wie etwa dem von Budapest setzten Assoziationsketten in Gang, die erneut das Gesamte auf einen Schlag in den Blick führten und die Entscheidung provozierten, die Humanität in einem Moment für höher zu erachten als die zu erwartenden Schwierigkeiten der folgenden Monate und Jahre. Eine Aufnahme vom November des Jahres hat all diese Motive ikonisch gebündelt. Die Ende August 2015 getroffene Entscheidung blickte auf das bedrängende, unmittelbare nahe Elend, aber ihre Horizontweite lag mindestens eine Generation voraus. Aus diesem zeitlichen Abstand dürfte sich das »Wir schaffen das!« als eines der überraschendsten Ereignisse erweisen, das darin seine Größe besaß, dass es nicht von der Tagespolitik, sondern von einem weiten Blick, der eine bedrohliche Nähe mit einer weiten Ferne verband, bestimmt war. Ein solches Verhalten bedeutet zwangsläufig, die Gunst von Menschen zu verlieren, die ihrerseits den Augenblick, die Bedrängung und die Perspektivlosigkeit sehen und aus dieser Kurzfristigkeit heraus agieren.

Ankunft eines Flüchtlingsbootes an der griechischen Insel Lesbos, November 2015, Foto: © picture alliance/dpa

Hassan Alasad macht ein Selfie mit Angela Merkel, Berlin, 10.9.2015,
Foto: © picture alliance/dpa

Aus ihrem Blick mit vollem Recht. Aber dem nicht nachzugeben, sondern das Nächste und das Fernste in eine Perspektive zu bringen, die auch aus dem historischen Abstand dazu taugt, als Zeichen von voraussetzungslosem Mut und geradezu unpolitischer Weitsicht beachtet und bestaunt zu werden, gehört zur zweiten Komponente des *coup d'oeil*.

Auch in einem Moment, in dem ihre Prognoseleistung getrübt schien, behielt Angela Merkel den Weitblick des *subito* bei. Als sie am 24. März 2021 den von ihr zuvor verkündeten Osterlockdown zurücknehmen musste, reagierte sie mit dem Bekenntnis eines schweren Fehlers, mit der Übernahme der alleinigen Verantwortung für diesen Irrtum und mit der größtmöglichen Geste: der Bitte um Verzeihung. Die Alternative hätte in der Verteilung von Schuldzuweisungen gelegen, was einer Potenzierung des Fehlers gleichgekommen wäre. Vor allem die Bitte um Verzeihung war einem Blick in die Zukunft verdankt, in der Vertrauen zur wichtigsten Kategorie der Politik wurde.

Angela Merkel, 30.9.2020, Foto: Horst Bredekamp

Die Betrachtung der eigenen, Jahrzehnte zurückliegenden Aussagen an jenem Abend des September 2020 führte zu einer bezeichnenden Befreiung. Die Art, in der die junge Angela Merkel eine scharfe Frage von Günter Gaus mit einer freundlichen Präzisierung entwaffnete, brachte die Tischrunde zum Lachen.

In diesem Moment wurde der Abstand, der zwischen dem Anfang ihrer politischen Hochkarriere und dem Beginn des Ausscheidens aus der Politik lag, blitzartig überbrückt, mit der Gewissheit, dass diese 30 Jahre aus der Fähigkeit zum *coup d'oeil* gelungen waren.

Über die Autorinnen und Autoren

Annalena Baerbock, geboren 1980 in Hannover, lebt mit ihrem Mann und zwei Töchtern in Potsdam. Sie studierte von 2000 bis 2004 Politische Wissenschaft und Öffentliches Recht an der Universität Hamburg und absolvierte im Anschluss ein Völkerrechtsstudium an der London School of Economics (LSE) mit dem Abschluss Master of Laws (LL.M.).

Annalena Baerbock ist seit 2005 Mitglied von Bündnis 90/Die Grünen. Von 2009 bis 2013 amtierte sie als Parteivorsitzende von Bündnis 90/Die Grünen Brandenburg und von 2012 bis 2015 war sie Mitglied des Parteirats von Bündnis 90/Die Grünen. Seit 2013 ist sie Abgeordnete im Deutschen Bundestag.

Seit Januar 2018 ist Annalena Baerbock Bundesvorsitzende von Bündnis 90/Die Grünen. Ein Parteitag nominierte sie am 12. Juni 2021 zur ersten grünen Kanzlerkandidatin für die Bundestagswahl 2021.

Daniel Barenboim wurde 1942 in Buenos Aires geboren. Er ist seit Jahrzehnten bei den führenden Orchestern der Welt als Dirigent gefragt. Zwischen 1975 und 1989 war er Chefdirigent des Orchestre de Paris. Von 1991 bis Juni 2006 wirkte er als Chefdirigent des Chicago Symphony Orchestra. Von 2007 bis 2014 war Daniel Barenboim mit Leitungsfunktionen am Teatro alla Scala in Mailand betraut, ab 2011 als Musikdirektor.

Seit 1992 ist Daniel Barenboim Generalmusikdirektor der Berliner Staatsoper Unter den Linden, bis August 2002 war er auch deren Künstlerischer Leiter. Im Herbst 2000 wählte ihn die Staatskapelle Berlin zum Chefdirigenten auf Lebenszeit. 2003 wurden er und die Staatskapelle mit dem Wilhelm-Furtwängler-Preis ausgezeichnet.

1999 rief Daniel Barenboim gemeinsam mit dem palästinensischen Literaturwissenschaftler Edward Said das West-Eastern Divan Orchestra ins Leben. Seit 2015 studieren talentierte junge Musiker aus dem Nahen Osten an der Barenboim-Said-Akademie in Berlin.

Daniel Barenboim ist Träger zahlreicher Preise und Auszeichnungen: So erhielt er u. a. das Große Verdienstkreuz mit Stern und Schulterband der Bundesrepublik Deutschland, die Ehrendoktorwürde der Universität Oxford sowie die Insignien eines Kommandeurs der französischen Ehrenlegion. Das japanische Kaiserhaus ehrte ihn mit dem Praemium Imperiale, zudem wurde er zum Friedensbotschafter der Vereinten Nationen ernannt. Queen Elizabeth II. verlieh ihm den Titel eines Knight Commander of the Most Excellent Order of the British Empire.

Marianne Birthler wurde 1948 in Berlin geboren. Nach dem Abitur war sie im Außenhandel tätig und absolvierte ein Fernstudium der Außenhandelswirtschaft. Nach einer Ausbildung zur Katechetin und Gemeindehelferin arbeitete sie seit 1982 in der Kinder- und Jugendarbeit der evangelischen Kirche in Berlin. Seit 1986 war Marianne Birthler in verschiedenen Oppositionsgruppen aktiv. Nach der Mitarbeit am Runden Tisch wurde sie im März 1990 Mitglied der Volkskammer und war dort Sprecherin der Fraktion Bündnis 90. Seit Oktober/November 1990 war Marianne Birthler Mitglied des Brandenburgischen Landtags und Ministerin für Bildung, Jugend und Sport. 1992 trat sie als Reaktion auf die Stasikontakte des Ministerpräsidenten vom Ministeramt zurück.

Nach der Vereinigung von Bündnis 90 mit den Grünen im Mai 1993 stand sie bis Dezember 1994 als Bundesvorstandssprecherin an der Spitze der neuen Partei. Ab Januar 1995 leitete Marianne Birthler das Berliner Büro der Bundestagsfraktion Bündnis 90/Die Grünen. Nach dem Umzug von Parlament und Regierung nach Berlin im Sommer 1999 arbeitete sie als Referentin für Personalentwicklung und Weiterbildung in der Bundestagsfraktion Bündnis 90/Die Grünen.

Im September 2000 wurde Marianne Birthler vom Deutschen Bundestag zur Bundesbeauftragten für die Unterlagen des Staatssicherheitsdienstes der ehemaligen DDR gewählt; im Januar 2006 ebenfalls mit großer Mehrheit in ihrem Amt bestätigt. Ihre Amtszeit endete im März 2011. Für ihren Einsatz bei der Aufarbeitung der SED-Diktatur und für ihr ehrenamtliches Engagement wurde Marianne Birthler 2015 das Große Verdienstkreuz mit Stern der Bundesrepublik Deutschland verliehen.

Horst Bredekamp, geboren 1947 in Kiel, studierte Kunstgeschichte, Archäologie, Philosophie und Soziologie in Kiel, München, Berlin und Marburg, wo er 1974 in Kunstgeschichte promovierte. Nach einer Museumstätigkeit am Liebieghaus (Frankfurt am Main) wurde er 1976 Assistent und 1982 Professur für Kunstgeschichte an der Universität Hamburg. Ab 1993 lehrt er als Professor für Kunstgeschichte an der Humboldt-Universität zu Berlin, seit 2019 als Seniorsprecher des Excellenzclusters »Matters of Activity«. Von 2003 bis 2012 war er zusätzlich Permanent Fellow des Wissenschaftskollegs zu Berlin.

Er ist Mitglied der Berlin-Brandenburgischen Akademie der Wissenschaften in Berlin, der Deutschen Akademie der Naturforscher Leopoldina (Nationalakademie) in Halle (Saale), der European Academy in London, der American Academy of Arts and Sciene (Washington) und des Ordens Pour le Mérite.

Als Autor von mehr als 30 Büchern und ca. 700 Artikeln hat er verschiedene Auszeichnungen erhalten, darunter den Sigmund-Freud-Preis der Deutschen Akademie für Sprache und Dichtung, Darmstadt (2001), den Aby M. Warburg-Preis der Stadt Hamburg (2005), den Max-Planck-Forschungspreis der Max-Planck-Gesellschaft und der Humboldt-Stiftung (2006) und den Schiller-Preis der Stadt Marbach (2017).

Martin Brudermüller wurde 1961 in Stuttgart geboren. Von 1980 an studierte er Chemie an der Universität Karlsruhe und erhielt dort

1985 sein Diplom. Nach der Promotion, die er 1987 in Karlsruhe abschloss, absolvierte er einen Postdoc-Aufenthalt an der University of California, Berkeley, USA.

Brudermüller begann seine Laufbahn bei BASF 1988 im Ammoniaklabor. Von 1993 bis 1995 arbeitete er im New Business Development/Marketing. 1995 wechselte er zur BASF Italia Spa, Mailand, als Head of Sales Zwischenprodukte, Pharmachemikalien. Anschließend arbeitete er im Stab des stellvertretenden Vorstandsvorsitzenden und war von 1999 an Director für die Produktion fettlöslicher Vitamine im Unternehmensbereich Feinchemie. Von 2001 bis 2003 war er Senior Vice President der Zentraleinheit Strategische Planung, von 2003 bis 2006 President des Unternehmensbereichs Functional Polymers. Von 2006 bis 2015 war er als Vorstandsmitglied verantwortlich für die Region Asien-Pazifik mit Sitz in Hongkong. Als Asien-Vorstand war Brudermüller von 2012 bis 2015 China-Sprecher des Asien-Pazifik-Ausschusses der Deutschen Wirtschaft und von 2014 bis 2017 Deutscher Ko-Vorsitzender des Deutsch-Chinesischen Dialogforums.

Brudermüller ist seit 2006 Mitglied des Vorstands der BASF SE. Von 2011 bis 2018 war er stellvertretender Vorstandsvorsitzender und Chief Technology Officer, Letzteres bis Januar 2021. Seit 2018 ist er Vorsitzender des Vorstands der BASF SE.

Ottmar Edenhofer ist Professor an der Technischen Universität Berlin und gilt als einer der weltweit führenden Experten für die Ökonomie des Klimawandels. Er ist Direktor und Chefökonom am Potsdam-Institut für Klimafolgenforschung (PIK) und Gründungsdirektor des Mercator Research Institute on Global Commons and Climate Change (MCC). Edenhofer ist Mitglied der Deutschen Akademie der Technikwissenschaften acatech und der Deutschen Akademie der Naturforscher Leopoldina.

Von 2008 bis 2015 war Ottmar Edenhofer einer der Ko-Vorsitzenden der Arbeitsgruppe III des Weltklimarats IPCC. In dieser Funktion leitete er den fünften Bewertungszyklus und gab die

Berichte »Climate Change 2014: Mitigation of Climate Change« sowie »Special Report on Renewable Energy Sources and Climate Change Mitigation« mit heraus. Der Fünfte Sachstandsbericht bildete die wissenschaftliche Grundlage für das Abkommen von Paris.

Edenhofer berät u. a. Kanzlerin Merkel, Außenminister Heiko Maas als auch den Bundespräsidenten Frank-Walter Steinmeier und die Weltbank. Darüber hinaus ist er Mitglied in zahlreichen nationalen und internationalen Gremien. Die *FAZ* zählte Edenhofer wiederholt zu den 10 einflussreichsten Ökonomen Deutschlands. Er gehört zu den 1 Prozent der weltweit einflussreichsten Wissenschaftler aufgrund seiner bedeutenden Veröffentlichungen in wissenschaftlichen Fachzeitschriften.

2020 zeichnete ihn die Deutsche Bundesstiftung Umwelt (DBU) mit dem renommierten Deutschen Umweltpreis für seine wissenschaftliche Arbeit aus.

Sigmar Gabriel, 1959 in Goslar geboren und politisch aktiv seit 1976, zählt zu den profiliertesten Politikern Deutschlands. Er ist Mitglied der SPD seit 1977 und war von 2009 bis 2017 ihr Vorsitzender.

Sigmar Gabriel war von 1990 bis 2005 Abgeordneter im niedersächsischen Landtag und dort zweimal (April 1998 bis Dezember 1999 und März 2003 bis Juni 2005) Vorsitzender der SPD-Fraktion. Von 1999 bis 2003 amtierte er als niedersächsischer Ministerpräsident.

Von Oktober 2005 bis November 2019 war Sigmar Gabriel direkt gewählter Abgeordneter des Deutschen Bundestages. Er bekleidete das Amt des Bundesministers für Umwelt, Naturschutz und Reaktorsicherheit von 2005 bis 2009, des Bundesministers für Wirtschaft und Technologie von 2013 bis 2017 und zuletzt des Bundesaußenministers von 2017 bis 2018. Zwischen 2013 und 2018 war Sigmar Gabriel Vizekanzler.

Sigmar Gabriel ist seit Juni 2019 Vorsitzender der Atlantik-Brücke, ein Verein, der sich der Vertiefung und Pflege der transatlantischen Beziehungen widmet.

Jörg Hacker, Prof. Dr., geboren 1952, studierte von 1970 bis 1974 Biologie an der Universität Halle und wurde dort 1979 promoviert. Von 1980 bis 1988 war er als wissenschaftlicher Mitarbeiter am Lehrstuhl für Mikrobiologie der Universität Würzburg tätig, wo er sich 1986 habilitierte. Seine Forschung konzentrierte sich auf die molekulare Analyse infektiöser Bakterien und Wirt-Pathogen-Interaktionen. Von 1988 bis 1993 war Jörg Hacker Professor für Mikrobiologie an der Universität Würzburg und übernahm 1993 die Leitung des Würzburger Institutes für Molekulare Infektionsbiologie. Zwei sechsmonatige Forschungsaufenthalte führten Jörg Hacker 2000 und 2005 an das Institut Pasteur in Paris. Im Jahr 2006 war er Gastprofessor am Sackler Institute for Advanced Studies der Tel Aviv University (Israel). Jörg Hacker war von 2003 bis 2009 Vizepräsident der Deutschen Forschungsgemeinschaft (DFG) und von 2008 bis 2010 Präsident des Robert Koch-Instituts in Berlin. Von 2010 bis 2020 war er Präsident der Nationalen Akademie der Wissenschaften Leopoldina. Er ist Träger zahlreicher Preise und Ehrungen; u. a. wurden ihm die Ehrendoktorwürden der Universitäten Tel Aviv, Umeå und Pécs sowie die Ehrenbürgerschaft seiner Heimatstadt Grevesmühlen verliehen. Jörg Hacker ist Mitglied in einer Reihe von nationalen und internationalen Akademien, wissenschaftlichen Gesellschaften und Gremien. Unter anderem war er 2014 bis 2017 Mitglied im Scientific Advisory Board, welches vom Generalsekretär der Vereinten Nationen Ban-Ki Moon eingesetzt wurde. Darüber hinaus war er Mitglied der Ethikkommission »Sichere Energieversorgung« (2011) und des Innovationsdialogs (seit 2010) der Bundeskanzlerin Angela Merkel.

Stephan Harbarth wurde 1971 in Heidelberg geboren. Nach dem Studium der Rechtswissenschaft an der Ruprecht-Karls-Universität Heidelberg absolvierte er 1996 das Erste juristische Staatsexamen. Im Jahr 1998 erfolgte die Promotion an der Ruprecht-Karls-Universität Heidelberg zum Thema »Anlegerschutz in öffentlichen Unternehmen«. Die Arbeit wurde mit einem Stipendium der Deutschen

Forschungsgemeinschaft gefördert und mit dem Fritz-Grunebaum-Preis ausgezeichnet.

Von 1997 bis 1999 absolvierte er das Referendariat am Kammergericht in Berlin und legte dort im August 1999 die Zweite juristische Staatsprüfung ab. Als Stipendiat des Deutschen Akademischen Austauschdienstes studierte er von 1999 bis 2000 an der Yale Law School, New Haven, Connecticut/USA und erwarb dort den akademischen Grad eines Master of Laws. Ab dem Jahr 2000 war er als Rechtsanwalt tätig.

Von 2009 bis 2018 war er Mitglied des Deutschen Bundestages und von 2016 bis 2018 Stellvertretender Vorsitzender der CDU/CSU-Bundestagsfraktion sowie Mitglied des Bundesvorstands der CDU Deutschlands. Er ist seit 2018 Honorarprofessor an der Juristischen Fakultät der Ruprecht-Karls-Universität Heidelberg.

Im November 2018 erfolgte seine Ernennung zum Vizepräsidenten des Bundesverfassungsgerichts und zum Vorsitzenden des Ersten Senats, im Juni 2020 die Ernennung zum Präsidenten des Bundesverfassungsgerichts.

Nico Hofmann, 1959 in Heidelberg geboren, zählt zu den bedeutendsten Film- und Fernsehproduzenten Deutschlands. 1998 beendete er seine erfolgreiche Karriere als Regisseur und gründete die Produktionsfirma teamWorx (heute UFA Fiction). Mit Produktionen wie »Der Tunnel«, »Dresden«, »Die Flucht«, »Der Turm«, »Bornholmer Straße« und »Nackt unter Wölfen«, die renommierte nationale wie internationale Preise gewannen, setzte Hofmann Maßstäbe in der deutschen Fernsehlandschaft und wurde in kürzester Zeit zum europaweiten Marktführer im Bereich Eventfernsehen. Zwei seiner Produktionen, die Miniserie »Unsere Mütter, unsere Väter« und die Eventserie »Deutschland83« gewannen den International Emmy Award und waren sowohl in Deutschland als auch international sehr erfolgreich.

Nico Hofmann wurde für seine Leistungen vielfach ausgezeichnet, darunter mehrfach mit dem Bayerischen Fernsehpreis, dem Deutschen

Fernsehpreis, dem Bambi, der Goldenen Kamera, dem Deutschen Filmpreis und dem Carl Laemmle Produzentenpreis. Er engagiert sich seit vielen Jahren für den Filmnachwuchs und lehrt seit 1995 als Professor an der Filmakademie Baden-Württemberg. 1999 rief er gemeinsam mit Bernd Eichinger den Nachwuchspreis First Steps ins Leben – heute die wichtigste Auszeichnung für junge Filmemacher.

Seit dem 1. September 2017 führt Nico Hofmann die UFA-Geschäfte als alleiniger CEO.

Ellen Johnson Sirleaf, geboren 1938 in Monrovia, war von 2006 bis 2018 Präsidentin von Liberia. Als erste Frau in Afrika erlangte sie ein solches Amt durch eine Wahl.

Sirleaf studierte in den USA, wo sie unter anderem einen Abschluss in Wirtschaftswissenschaften an der University of Colorado erwarb. Von 1969 bis 1971 studierte sie Wirtschaftswissenschaften und Öffentliche Verwaltung an der Harvard University.

Von 1979 bis 1980 war sie liberianische Finanzministerin unter Präsident William Tolbert. 1980, nach der Ermordung Tolberts, ging Johnson Sirleaf ins Exil nach Kenia. Dort war sie von 1982 bis 1985 als Vizepräsidentin der Citibank für Afrika tätig. Die Rückkehr nach Liberia 1985 führte zu ihrer Verhaftung und Verurteilung zu zehn Jahren Gefängnis. Nach kurzer Zeit wurde sie entlassen und ging erneut ins Exil. Von 1986 bis 1992 war sie Vizepräsidentin der Equator Bank in Washington, D.C., danach bis 1997 Leiterin des Entwicklungsprogramms der Vereinten Nationen für Afrika.

2005 gewann sie als Kandidatin der von ihr geführten Unity Party die Präsidentschaftswahlen in Liberia, ein Erfolg, den sie 2011 wiederholte.

2011 erhielt sie für ihren Einsatz für Frauenrechte und für die Sicherheit von Frauen den Friedensnobelpreis (gemeinsam mit Leymah Gbowee und Tawakkul Karman).

Von 2016 bis 2017 amtierte sie als Vorsitzende der Westafrikanischen Wirtschaftsgemeinschaft, aktuell ist sie eine der beiden Vorsitzenden des Independent Panel for Pandemic Preparedness and Response, das im Auftrag der WHO die internationale Reaktion auf die Coronapandemie auswertete und Verbesserungsvorschläge machte.

Volker Kauder, Jahrgang 1949, ist in der CDU/CSU-Fraktion im Deutschen Bundestag zuständig für Wertethemen, Religionsfreiheit und den Einsatz gegen Christenverfolgung. Von 2005 bis 2018 war er Vorsitzender der CDU/CSU-Fraktion im Deutschen Bundestag. Seit 1990 ist er Mitglied des Deutschen Bundestages. Der studierte Jurist war zudem von 1991 bis 2005 Generalsekretär der CDU in Baden-Württemberg sowie von 2002 bis 2005 1. Parlamentarischer Geschäftsführer der CDU/CSU-Fraktion im Bundestag und wirkte 2005 als Generalsekretär der CDU Deutschlands.

Seit vielen Jahren ist der Einsatz für Religionsfreiheit weltweit ein bestimmendes Thema seines politischen Wirkens auf nationaler und internationaler Ebene. Neben zahlreichen Reden im Deutschen Bundestag hat er als Mitglied des International Panel of Parlamentarians for Freedom of Religion or Belief (IPPFoRB) dafür geworben, dass sich insbesondere Parlamentarier in ihrer Funktion als Gesetzgeber für Religionsfreiheit einsetzen und breite Allianzen auch im Sinne des interreligiösen Dialogs schmieden. Insbesondere auf die in zahlreichen Ländern zunehmend gefährdete Religionsfreiheit von Christen macht Volker Kauder bei zahlreichen Veranstaltungen aufmerksam. In seinem im Verlag Herder 2020 erschienenen Buch »Das hohe C. Politik aus dem Christlichen Menschenbild« plädiert der evangelische Christ für eine Politik, die sich am Christlichen Menschenbild orientiert, und zeigt auf, dass der politische Einsatz für Religionsfreiheit in diesem Menschenbild verwurzelt ist.

Freya Klier, geboren 1950 in Dresden, Autorin, Schauspielerin, Theaterregisseurin, Dokumentarfilmerin, Bürgerrechtlerin.

Ausgelöst durch ein politisches Gerichtsurteil gegen ihren Bruder unternahm sie 1968 einen Fluchtversuch. Dieser scheiterte und Klier wurde zu einer Haftstrafe verurteilt, von der sie mehr als elf Monate verbüßen musste.

1970 durfte sie ein Schauspielstudium an der Universität Leipzig aufnehmen, das sie fünf Jahre später mit dem Diplom abschloss; von 1978 bis 1982 zusätzlich ein Regiestudium.

Seit Anfang der 1980er Jahre stand Freya Klier in Kontakt mit der kirchlichen Friedensbewegung in der DDR. Ihr Engagement dort führte zu einem faktischen Berufsverbot. Fortan stand sie unter engmaschiger Beobachtung durch das Ministerium für Staatssicherheit.

Gemeinsam mit ihrem Lebensgefährten, dem Liedermacher Stephan Krawczyk, wurde sie 1988 verhaftet und zur Ausreise aus der DDR gezwungen.

Nach der Wiedervereinigung wurde die Aufarbeitung der SED-Diktatur zum Schwerpunkt ihrer Arbeit. Freya Klier liest aus ihren Werken, präsentiert Filme und klärt in Schulveranstaltungen Schülerinnen und Schüler über das Unrechtssystem der DDR und auch die NS-Terrorherrschaft auf.

Freya Klier wurde unter anderem ausgezeichnet mit der Sächsischen Verfassungsmedaille (2007), mit dem Verdienstorden des Landes Berlin (1995) und des Freistaates Sachsen (2017), dem Bundesverdienstkreuz (2012) und dem Franz-Werfel-Menschenrechtspreis (2016).

Charlotte Knobloch kam 1932 in München zur Welt. Den Holocaust überlebte sie unter falscher Identität in Franken, 1945 kehrte sie nach München zurück. Seit 1985 ist sie Präsidentin der Israelitischen Kultusgemeinde München und Oberbayern, von 2006 bis 2010 war sie außerdem Präsidentin des Zentralrates der Juden in Deutschland. In diese Zeit fiel auch die Eröffnung der neuen Hauptsynagoge und des jüdischen Gemeindezentrums am St.-Jakobs-Platz in München.

Sie war von 2005 bis 2013 Vizepräsidentin des World Jewish Congress, für den sie bis heute als Commissioner for Holocaust Memory tätig ist. Im Jahre 2008 erhielt sie das Große Bundesverdienstkreuz, 2009 die Ehrendoktorwürde der Universität Tel Aviv. Seit 2009 ist sie zudem Schirmherrin des Ernst-Ludwig-Ehrlich-Studienwerkes.

Winfried Kretschmann, geboren 1948 in Spaichingen, wuchs in einem liberalen, katholischen Elternhaus auf, in dem frei gedacht und gestritten wurde. Während des Studiums folgte eine 68er-Sozialisation in linksradikalen K-Gruppen, die er selbst als fundamentalen politischen Irrtum bezeichnet. Danach unterrichtete er als Lehrer am Gymnasium Biologie, Chemie und Ethik. Doch das Politische ließ ihn nicht los. 1979 war er Mitbegründer der Grünen in Baden-Württemberg und ist seit 1980 mit Unterbrechungen Landtagsabgeordneter. Seit 2011 ist er Deutschlands erster und einziger grüner Ministerpräsident und wurde mittlerweile zweimal wiedergewählt. Winfried Kretschmann ist seit 1975 mit seiner Frau Gerlinde verheiratet. Sie haben drei erwachsene Kinder.

Christine Lagarde, 1956 in Paris geboren, besuchte nach dem Schulabschluss in Le Havre die Holton-Arms School in Bethesda (Md, USA), absolvierte ein rechtswissenschaftliches Studium an der Universität Paris X und erwarb einen Master am Institut für politische Studien in Aix-en-Provence.

Nach fast 20-jähriger Tätigkeit als Rechtsanwältin bei der internationalen Anwaltskanzlei Baker McKenzie wurde sie dort 1999 Vorsitzende des Global Executive Committee.

Im Juni 2005 wurde Christine Lagarde französische Handelsministerin und danach für kurze Zeit Ministerin für Landwirtschaft und Fischerei. Im Juni 2007 übernahm sie als erste Frau in einem G7-Land das Amt der Ministerin für Wirtschaft und Finanzen.

Als Mitglied der G20 wirkte Christine Lagarde an den Maßnahmen zur Bewältigung der Finanzkrise mit und trug zur Förderung internationaler Regelungen für die Finanzaufsicht und -regulierung und Stärkung der globalen wirtschaftlichen Governance bei. Während der französischen G20-Präsidentschaft lancierte sie 2011 ein umfassendes Arbeitsprogramm zur Reform des internationalen Währungssystems.

Im Juli 2011 wurde Christine Lagarde zur geschäftsführenden Direktorin des Internationalen Währungsfonds (IWF) gewählt und war damit die erste Frau an der Spitze des IWF. Am 12. September 2019 trat sie von ihrem Amt beim IWF zurück, nachdem sie als Präsidentin der Europäischen Zentralbank nominiert worden war.

Ihr Amt als Präsidentin der EZB und damit als erste Frau an der Spitze der Zentralbank trat sie am 1. November 2019 an.

Philipp Lahm, geboren 1983 in München, ist einer der erfolgreichsten deutschen Fußballspieler. Er war von 2004 bis 2014 deutscher Nationalspieler, bestritt in dieser Zeit 113 Länderspiele und führte die Mannschaft als Kapitän 2014 in Brasilien zum Weltmeistertitel. Als Stammspieler der ersten Mannschaft des FC Bayern Münchens war er über ein Jahrzehnt Identifikationsfigur seines Heimatvereins und führte das Team ab 2011 als Kapitän an. In zwölf Jahren gewann er mit Bayern 21 Vereinstitel, darunter 2013 das Triple aus Deutscher Meisterschaft, DFB-Pokal und Champions League.

Im Dezember 2017 wurde er zum sechsten Ehrenspielführer der deutschen Fußball-Nationalmannschaft und zum Botschafter der Bewerbung des Deutschen Fußball-Bundes (DFB) um die Ausrichtung der UEFA EURO 2024 ernannt. Seit Juni 2019 ist er einer von zwei Geschäftsführern in der DFB EURO GmbH und seit Dezember 2020 Turnierdirektor der UEFA EURO 2024. Im Rahmen der UEFA EURO 2020 (die wegen der Coronakrise erst 2021 durchgeführt wird) ist er Host City Ambassador für den Spielort München.

2007 gründete er als einer der jüngsten Stifter Bayerns seine eigene Stiftung für Sport und Bildung. Mit dieser ist er als Vorstandsvorsitzender, Projektinitiator und Themen-Botschafter u. a. im Philipp Lahm Sommercamp oder bei der Philipp Lahm Schultour bis heute aktiv. 2019 wurde er zum Ehrenbürger der Landeshauptstadt München ernannt. Seit dem Ende seiner aktiven Fußballkarriere im Mai 2017 ist Philipp Lahm auch unternehmerisch aktiv und arbeitet an Produkten, die seinen Werthaltungen entsprechen und dem Gedanken der Nachhaltigkeit verpflichtet sind.

Armin Laschet, geboren 1961 in Aachen, studierte Rechts- und Staatswissenschaften an den Universitäten München und Bonn. Das Erste juristische Staatsexamen legte er 1987 ab. Nach einer Ausbildung zum Journalisten war Laschet als freier Journalist für bayerische Rundfunksender und das Bayerische Fernsehen tätig. Er war wissenschaftlicher Berater der Präsidentin des Deutschen Bundestages. Von 1995 bis 1999 arbeitete Armin Laschet als Verlagsleiter und Geschäftsführer der Einhard-Verlags GmbH. Von 1989 bis 2004 war er Ratsherr der Stadt Aachen, 1994 bis 1998 Mitglied des Deutschen Bundestages und von 1999 bis 2005 Mitglied des Europäischen Parlaments. Seit Juni 2010 ist er Abgeordneter des Landtags von Nordrhein-Westfalen, von Dezember 2013 bis Juni 2017 war er Vorsitzender der CDU-Landtagsfraktion.

Von 2005 bis 2010 war Armin Laschet Minister für Generationen, Familie, Frauen und Integration des Landes Nordrhein-Westfalen, 2010 zugleich Minister für Bundesangelegenheiten, Europa und Medien. Seit Juni 2017 ist er Ministerpräsident des Landes Nordrhein-Westfalen. Armin Laschet ist Mitglied der CDU seit 1979, seit 2008 Mitglied des Bundesvorstandes der CDU Deutschlands, seit 2012 Vorsitzender des CDU-Landesverbandes Nordrhein-Westfalen. Ab 2012 war er stellvertretender Vorsitzender der CDU Deutschlands.

Seit 2021 ist Armin Laschet Vorsitzender der CDU Deutschlands und Kanzlerkandidat der Union für die Bundestagswahl 2021.

Nicola Leibinger-Kammüller, Dr. phil., geboren 1959 in Wilmington, Ohio (USA), studierte Germanistik, Anglistik und Japanologie in Freiburg, Middlebury, VT (USA) und Zürich mit anschließender Promotion.

Seit 1985 war sie im Bereich Presse- und Öffentlichkeitsarbeit für die TRUMPF Gruppe tätig, von 1988 bis 1990 für die TRUMPF Corporation in Japan. Von 1992 bis 2010 war sie Geschäftsführerin der Berthold Leibinger Stiftung GmbH, seit 1994 Gesellschafterin der TRUMPF GmbH + Co. KG, seit Januar 2003 Geschäftsführerin der TRUMPF GmbH + Co. KG. Im November 2005 übernahm Nicola Leibinger-Kammüller den Vorsitz der Geschäftsführung der TRUMPF GmbH + Co. KG, der Führungsgesellschaft der TRUMPF Gruppe. Als Chief Executive Officer (CEO) ist sie verantwortlich für die strategische Unternehmensentwicklung, Unternehmenskommunikation, Markenmanagement, Immobilienmanagement und Nachhaltiges Wirtschaften, Recht, M+A sowie Internal Risk Management.

Daneben nimmt sie zahlreiche ehrenamtliche Aufgaben im wissenschaftlichen, kulturellen und sozialen Bereich wahr. Sie war Mitglied von Aufsichtsräten deutscher Unternehmen wie Lufthansa, Siemens, Axel Springer und Voith. Nicola Leibinger-Kammüller ist verheiratet und hat vier Kinder. Sie ist Mitglied der CDU.

Ursula von der Leyen, Dr. med., geboren 1958, war von 2009 bis 2019 Mitglied des Deutschen Bundestages und mehr als 14 Jahre lang Bundesministerin in Deutschland, zuständig für Familie (2005–2009), dann für Arbeit und Soziales (2009–2013) und später für Verteidigung (2013–2019). Ein Studium der Medizin schloss sie 1987 mit Staatsexamen und Approbation ab; 1991 folgte die Promotion und 2001 der Magister Public Health. Seit 1990 ist sie Mitglied der CDU. Von 2003 bis 2005 war sie Mitglied der CDU-Fraktion im niedersächsischen Landtag. Im Jahr 2019 wurde sie zur Präsidentin der Europäischen Kommission gewählt. Als Chefin der europäischen Exekutive hat sie für ihre Amtszeit sechs Hauptziele für Europa definiert: den europäischen Green Deal; ein Europa, das fit für das digitale Zeitalter gerüstet ist; eine Wirtschaft, deren Rechnung für die Menschen aufgeht; ein stärkeres Europa in der Welt; schützen was Europa ausmacht; und einen neuen Schwung für die Demokratie in Europa.

Emmanuel Macron, geboren 1977, ist der achte Präsident der Republik Frankreichs. In Amiens in eine Ärztefamilie geboren, machte er sein Abitur in Paris. Er studierte Philosophie an der Universität Paris X (Nanterre) und Politikwissenschaften am Institut d'études politiques de Paris (»Sciences Po«); später besuchte er die Ecole Nationale d'Administration (ENA) in Straßburg, wo er 2004 seinen Abschluss machte. Macron arbeitete als Finanzdirektors im öffentlichen Dienst im Finanzministerium (2004–2008), als Investmentbanker (2008–2011) und als Geschäftsführender Gesellschafter der Bank Rothschild & Co. (2011–2012). Anschließend trat Macron in die Generalinspektion der Finanzen ein, wo er vier Jahre lang arbeitete, bevor er in den Bankensektor wechselte. Im Jahr 2012 wurde er stellvertretender Generalsekretär der Präsidentschaft der Republik. Er verließ das Amt im Juli 2014 und war von August 2014 bis August 2016 Minister für Wirtschaft, Industrie und digitale Angelegenheiten für die Sozialistische Partei.

Macron rief die Bewegung »En Marche!« aus, die am 6. April 2016 gegründet wurde, und war ihr Anführer bis zu seinem Sieg bei den Präsidentschaftswahlen am 7. Mai 2017. 2018 erhielt er den Internationalen Karlspreis.

Thomas de Maizière, Dr. jur., geboren 1954, studierte nach seinem Wehrdienst Rechtswissenschaft in Münster und Freiburg im Breisgau, welche er 1979 mit dem Ersten und 1982 mit dem Zweiten juristischen Staatsexamen beendete. Anschließend wurde er Mitarbeiter der Regierenden Bürgermeister von Berlin Richard von Weizsäcker und Eberhard Diepgen. 1986 folgte die Promotion in Münster. Von 1985 bis 1989 war de Maizière Leiter des Grundsatzreferates der Senatskanzlei des Landes Berlin und Pressesprecher der CDU-Fraktion im Abgeordnetenhaus von Berlin. 1990 war er Mitglied der Verhandlungsdelegation für den deutschen Einigungsvertrag. Von 1990 bis 1998 war er als Staatssekretär in der Regierung von Mecklenburg-Vorpommern tätig, von 1999 bis 2005 diente er als Staatsminister in Sachsen in unterschiedlichen Ressorts. Von 2005 bis 2009 war er Chef des Bundeskanzleramtes und wurde anschließend Minister in verschiedenen Ressorts: von 2009 bis 2011 und von 2013 bis 2018 Bundesinnenminister sowie von 2011 bis 2013 Bundesverteidigungsminister. De Maizière ist seit 2009 Mitglied des Bundestages.

Außerdem ist Thomas de Maizière seit 2003 im Präsidium des Deutschen Evangelischen Kirchentages und seit 2018 Vorsitzender der Deutschen Telekom Stiftung. Der Jurist ist Honorarprofessor für Staatsrecht an der Universität Leipzig. 2019 erhielt er das Große Bundesverdienstkreuz.

Christoph Markschies, Dr. theol., geboren 1962 in Berlin, studierte Evangelische Theologie, klassische Philologie und Philosophie in Marburg, Jerusalem, München und Tübingen; er wurde 1991 promoviert, habilitierte sich 1994 und ist nach Professuren in Jena (1994–2000) und Heidelberg (2000–2004) seit 2004 Professor für Antikes Christentum an der Humboldt Universität zu Berlin. Von 2006 bis 2010 war er Präsident dieser Universität, von 2012 bis 2018 war er Vizepräsident der Berlin-Brandenburgischen Akademie der Wissenschaften und ist seit 2020 deren Präsident. 2015 nahm er die Dagmar-Westberg-Stiftungsprofessur an der Johann Wolfgang Goethe-Universität Frankfurt am Main wahr. Seit Oktober 2019 ist er Mitglied im Universitätsrat der Universität Erfurt. 2001 wurde er mit dem Leibniz-Preis ausgezeichnet, 2017 erhielt er das Bundesverdienstkreuz.

Seine Forschungsschwerpunkte innerhalb der Älteren Kirchengeschichte sind vor allem die Geistes- und Ideengeschichte – insbesondere Gnosis und Montanismus sowie die Transformation der paganen Philosophie in der christlichen Theologie – im Kontext anderer Religionen, Auslegung der christlichen Bibel und ihre parallele jüdische Auslegungsgeschichte sowie die Geschichte und Gegenwart der jüdisch-christlichen Beziehungen.

Ulrich Matthes wurde 1959 in Berlin geboren. Erste Engagements führten ihn an die Vereinigten Bühnen Krefeld/Mönchengladbach, ans Düsseldorfer Schauspielhaus und ans Bayerische Staatsschauspiel. 1988 wechselte er an die Münchner Kammerspiele, 1992 an die Schaubühne am Lehniner Platz. Seit 2004 ist er Ensemblemitglied am Deutschen Theater Berlin. Zu seinen Rollen dort zählen die Titelrollen in »Onkel Wanja«, Molières »Menschenfeind«

oder Millers »Tod eines Handlungsreisenden«. Für seine Theater-
arbeit wurde er vielfach ausgezeichnet, darunter mit dem Gertrud-
Eysoldt-Ring, dem Theaterpreis Berlin wie dem deutschen Theaterpreis »Der Faust«. Zweimal wurde er zum »Schauspieler des Jahres«
gewählt. Für seine Arbeit in Film und Fernsehen erhielt er unter
anderem den Bayerischen Filmpreis, die Goldene Kamera, den
Grimme-Preis, den Preis der Deutschen Akademie für Fernsehen
sowie Nominierungen für den Deutschen und Europäischen Filmpreis. Auch für seine zahlreichen Hörbücher wurde er ausgezeichnet. Er ist Mitglied der Akademie der Künste Berlin wie der Europäischen Filmakademie. Seit 2019 ist er Präsident der Deutschen
Filmakademie.

Henriette Reker, geboren 1965 in Köln, ist seit 2015 parteilo-
se Oberbürgermeisterin der Stadt Köln. Mit ihr lenkt zum ersten
Mal eine Frau die Geschicke der viertgrößten Stadt Deutschlands.
Henriette Reker wuchs in Köln auf. Das Studium der Rechtswissen-
schaften schloss sie mit dem Zweiten juristischen Staatsexamen ab.
Sie arbeitete unter anderem als Justiziarin beim Landesverband der
Innungskrankenkassen sowie als Rechtsanwältin in Münster. Zwischen 2000 und 2010 war sie als Beigeordnete für Soziales, Integration, Gesundheit und Verbraucherschutz der Stadt Gelsenkirchen tätig. 2010 wechselte sie als Beigeordnete für Soziales, Integration und
Umwelt zur Stadt Köln. Sie wurde einer breiten Öffentlichkeit für
ihren Einsatz für eine Geflüchtetenpolitik nach humanen Maßstäben bekannt. 2015 überlebte sie ein Attentat auf einem Kölner Wo-
chenmarkt trotz lebensgefährlicher Verletzungen.

Andrea Riccardi, geboren 1950, ist ein italienischer Historiker und
der Gründer der katholischen Gemeinschaft Sant'Egidio. Seit 1981
ist er ordentlicher Universitätsprofessor für Neuere Geschichte, Geschichte des Christentums und Religionsgeschichte an der staatlichen
»Universität Rom III« in Rom. Andrea Riccardi war von 2011 bis
2013 in der Regierung des italienischen Ministerpräsidenten Mario

Monti Minister (ohne Geschäftsbereich) mit einem Arbeitsauftrag für »Internationale Zusammenarbeit und Integration«. Er setzt sich seit vielen Jahren für den Dialog und die Verständigung unter den Religionen und Kulturen ein, vor allem im Rahmen der Internationalen Friedenstreffen (»Weltgebetstreffen«) der großen Weltreligionen in der Nachfolge des historischen Treffens von Papst Johannes Paul II. 1986 in Assisi.

Für seine Friedensarbeit wurde er 2001 mit dem Notre Dame Award ausgezeichnet. 2009 erhielt er den Internationalen Karlspreis. Das Direktorium für den Karlspreis würdigte neben den zahlreichen Verdiensten insbesondere das herausragende Beispiel zivilgesellschaftlichen Engagements für ein menschliches und – innerhalb wie außerhalb seiner Grenzen – solidarisches Europa, für die Verständigung von Völkern, Kulturen und Religionen und für eine friedlichere und gerechtere Welt. 2020 erhielt er das Große Bundesverdienstkreuz.

Donald Tusk, geboren 1957, ist seit 2019 Vorsitzender der Europäischen Volkspartei. 1976 begann Tusk das Studium der Geschichte an der Universität Gdańsk. 1980 gründete Donald Tusk den Unabhängigen Studentenverband NZS, der Teil der Bewegung Solidarność war, und arbeitete als Journalist bei einer von der Solidarność herausgegebenen Zeitung. 1983 gründete Donald Tusk die illegale Monatszeitschrift *Politische Rundschau*, in der er die Regeln einer freiheitlichen Demokratie propagierte. Nach dem Zusammenbruch des Kommunismus und den ersten freien Präsidentschaftswahlen in Polen wurde Tusk Vorsitzender der ersten unternehmer- und europafreundlichen Partei in Polen, dem Liberal-Demokratischen Kongress. Er war außerdem für die Entmonopolisierung und Privatisierung des früheren staatseigenen kommunistischen Pressekonzerns zuständig. In den 1990er Jahren war Donald Tusk Parlamentsabgeordneter und unter anderem stellvertretender Senatspräsident. 2001 war Donald Tusk einer der Mitbegründer der neuen Partei der Mitte namens Bürgerplattform und wurde 2003 ihr Vorsitzender. 2007 wurde Tusk zum Ministerpräsident gewählt. Er übte das Amt sieben Jahre lang aus und

wurde damit der am längsten amtierende Ministerpräsident des demokratischen Polen und der erste Ministerpräsident, der wiedergewählt wurde. 2010 erhielt er den Internationalen Karlspreis. 2014
wurde Donald Tusk in das Amt des Präsidenten des Europäischen Rates gewählt; 2017 wurde er für eine zweite Amtszeit von zweieinhalb
Jahren wiedergewählt, die am 30. November 2019 endete.

Theo Waigel, Dr. jur., geboren 1939, war von 1989 bis 1998 Bun-
desminister der Finanzen und von 1988 bis 1999 CSU-Vorsitzender.
Theo Waigel wurde auf dem Parteitag am 18. Juli 2009 zum Ehren-
vorsitzenden der CSU gewählt.

Nach dem Abitur nahm Waigel 1959 ein Studium der Rechts-
und Staatswissenschaften in München und später in Würzburg
auf, das er 1963 mit dem Ersten juristischen Staatsexamen beendete. 1967 folgte das Zweite Staatsexamen sowie seine Promotion.
Nach einer Tätigkeit als Gerichtsassessor bei der Staatsanwaltschaft
beim Landgericht München I wechselte Waigel 1969 in das Bayerische Staatsministerium der Finanzen. Von 1970 bis 1972 arbeitete er beim Bayerischen Staatsminister für Wirtschaft und Verkehr.
Von 1972 bis 2002 gehörte Waigel 30 Jaahre lang dem Deutschen
Bundestag an. 1980 berief ihn die CDU/CSU-Fraktion zum Vorsitzenden der Arbeitsgruppe Wirtschaft und zu ihrem wirtschaftspoli-
tischen Sprecher. 1989 holte Bundeskanzler Kohl den mittlerweile
zum Parteivorsitzenden der CSU gewählten Waigel in sein Kabinett.

Nach seinem Abschied aus dem Bundestag 2002 wurde Waigel
Partner einer Münchner Anwaltskanzlei und beriet in der Folge Un-
ternehmen im In- und Ausland und unterstützte vielfältige kulturelle
Initiativen und Maßnahmen v. a. in seiner schwäbischen Heimat.

Anmerkungen

Zielstrebig für ein stabiles Deutschland in einem starken Europa (Christine Lagarde)

1   Christine Lagarde, Angela Merkel – Striking the Right Note on Leadership, HHL Leipzig Graduate School of Management, 31.8.2019. www.imf.org/en/News/Articles/2019/08/31/sp083119-Angela-Merkel-Striking-the-Right-Note-on-Leadership (abgerufen am 22.7.2019).

»Wir schaffen das!« Ein kommunaler Blick auf die europäische Migrationskrise (Henriette Reker)

1   Wortlaut der Sommerpressekonferenz von Bundeskanzlerin Angela Merkel, 31. August 2015, www.bundesregierung.de/breg-de/aktuelles/sommerpressekonferenz-von-bundeskanzlerin-Merkel-848300 (abgerufen am 31.3.2021).

2   Mit der Kontextualisierung und Interpretation des Satzes hat sich intensiv beschäftigt: René Schlott, »Wir schaffen das!« Vom Entstehen und Nachleben eines Topos, in: APuZ 30–32 (2020), S. 8–13, sowie: Robin Alexander, Die Geschehnisse des Septembers 2015, in: ebd., S. 14–19.

3   Italienische Küstenwache birgt 675 Leichen aus Wrack, in: Zeit Online, 15.7.2016, www.zeit.de/gesellschaft/zeitgeschehen/2016-07/mittelmeer-fluechtlinge-italien-libyen-schiffsunglueck (abgerufen am 6.4.2021).

4   Eurostat, asylum and first time asylum applicants – annual aggregated data (rounded), https://ec.europa.eu/eurostat/databrowser/view/tps00191/default/bar?lang=en (abgerufen am 9.4.2021).

5   Heinrich Böll in: Auch einen Zuhälter retten, in: Der Spiegel, 18.10.1981, www.spiegel.de/politik/auch-einen-zuhaelter-retten-a-0551137f-0002-0001-0000-000014339038 (abgerufen am 29.3.2021).

6   Stadt Köln, Beschluss des Rates der Stadt Köln vom 20.7.2004, Leitlinien zur Unterbringung und Betreuung von Flüchtlingen in Köln, www.stadt-koeln.de/mediaasset/content/pdf5620/1.pdf (abgerufen am 14.4.2021).

7   Marion Detjen, »Wir schaffen das« oder »Revolutionäres Bewusstsein«? Überlegungen zur Willkommenskultur, in: Bundeszentrale für politische Bildung (Hrsg.), APuZ 30–32 (2020), S. 20–26, hier S. 21.

8   Stadt Köln, 2. Bericht an den Ausschuss Soziales und Senioren zur Sitzung am
     20.8.2015, S. 4.

9   Vera Hanewinkel, Fluchtmigration nach Deutschland und Europa.
     Einige Hintergründe, 15.12.2015, www.bpb.de/gesellschaft/migration/
     kurzdossiers/217369/fluchtmigration-hintergruende (abgerufen am 1.4.2021),
     sowie Ulrich Herbert, Jakob Schönhagen, Vor dem 5. September. Die
     »Flüchtlingskrise« 2015 im historischen Kontext, in: APuZ 30–32 (2020),
     S. 27–36, hier S. 35.

10   Sozialdezernentin Henriette Reker, ungedruckte Rede anlässlich der
     Veranstaltung »Ankommen in Köln« im Kölner Rathaus, 2015.

11   Stadt Köln, Dez. V., Informationsbroschüre zur Unterbringung Geflüchteter,
     1.3.2016, https://www.stadt-koeln.de/mediaasset/content/pdf56/2016-03-01_
     infoveranstaltung_eygelshovener_stra%C3%9Fe.pdf (abgerufen am 7.4.2021).

12   Der Rat der Stadt Köln stimmte mit großer Mehrheit am 16.12.2014 für
     den Dringlichkeitsantrag »Unterbringung von Geflüchteten in Köln« der
     Ratsfraktionen von SPD, CDU, Bündnis 90/Grüne und FDP, AN/178/2014.

13   Wortlaut der Sommerpressekonferenz von Bundeskanzlerin Angela
     Merkel, 31. August 2015, www.bundesregierung.de/breg-de/aktuelles/
     sommerpressekonferenz-von-bundeskanzlerin-Merkel-848300 (abgerufen am
     31.3.2021).

14   Dabei wurden Zugewanderte nach der vorübergehenden Unterbringung in
     Leichtbauhallen oder Turnhallen (1), in Wohncontainern oder Hotels (2),
     in Wohnungen in Systembauweise (3) schließlich mit Unterstützung der
     Kommune in Wohnungen auf dem freien Markt (4) vermittelt. Stadt Köln,
     Aktuelle Information zur Unterbringung und Integration von Flüchtlingen.
     6. Bericht an den Ausschuss Soziales und Senioren zur Sitzung am 25.2.2016.

15   Hans Monath, Angela Merkel macht Flüchtlingspolitik zur Chefsache, in:
     Tagesspiegel Online vom 7.10.2015, www.tagesspiegel.de/politik/fluechtlinge-
     Angela-Merkel-macht-fluechtlingspolitik-zur-chefsache/12416088.html
     (abgerufen am 31.3.2021).

16   Lena Kampf, Toni Kempmann, Reiko Pinkert und Nicolas Richter,
     Terroristische »Gruppe Freital« wird angeklagt, in: SZ Online, www.
     sueddeutsche.de/politik/rechte-gewalt-terroristische-gruppe-freital-wird-
     angeklagt-1.3238196 (abgerufen am 9.4.2021).

17   Herta Müller, Heimweh nach Zukunft. Dankesrede, in: Stadtbibliothek Köln
     (Hrsg.), hbp 01. Heinrich-Böll-Preis der Stadt Köln 2015 (Schriftenreihe des
     Literatur-in-Köln-Archivs / Heinrich-Böll-Archiv), Köln 2015, S. 13–21, hier
     S. 13.

18 Eurostat, asylum and first time asylum applicants – annual aggregated data.

19 Statista, Anzahl der neu registrierten Flüchtlinge in Deutschland von 2014 bis 2018, https://de.statista.com/statistik/daten/studie/663735/umfrage/jaehrlich-neu-registrierte-fluechtlinge-in-deutschland/ (abgerufen am 7.4.2021).

20 Herbert/Schönhagen, Vor dem 5. September, S. 36.

21 Bundesamt für Migration und Flüchtlinge, Aktuelle Zahlen, Ausgabe Februar 2021, https://www.bamf.de/SharedDocs/Anlagen/DE/Statistik/AsylinZahlen/aktuelle-zahlen-februar-2021.pdf?__blob=publicationFile&v=3 (abgerufen am 9.4.2021).

22 Deutschlandfunk Kultur, Der unterschätzte Hass aus dem Internet, www.deutschlandfunkkultur.de/hetze-und-desinformation-der-unterschaetzte-hass-aus-dem.1013.de.html?dram:article_id=495011 (abgerufen am 9.4.2021).

Religion und Politik – Herausforderung zwischen Fundament und Fundamentalismus (Volker Kauder)

1 Vgl. Pew Research Center, The Future of World Religions: Population Growth Projections, 2010–2015, S. 8, www.pewforum.org/2015/04/02/religious-projections-2010-2050 (abgerufen am 2.7.2021).

2 Vgl. ebd.

3 Vgl. ebd.

4 Vgl. David Gutmann, Fabian Peters, #projektion 2060. Die Freiburger Studie zur Kirchenmitgliedschaft und Kirchensteuer: Analysen – Chancen – Visionen, Neukirchen-Vluyn 2021, S. 93–119.

5 Vgl. umfassend dazu: Heiner Bielefeldt, Michael Wiener, Religionsfreiheit auf dem Prüfstand. Konturen eines umkämpften Menschenrechts, Bielefeld 2020.

6 Vgl. ebd., S. 163 f.

7 Vgl. 2. Bericht der Bundesregierung zur weltweiten Lage der Religionsfreiheit, S. 110 ff., https://religionsfreiheit.bmz.de/de/der-bericht/Zweiter-Religionsfreiheitsbericht.pdf (abgerufen am 2.7.2021).

8 Vgl. Heiner Bielefeldt, Michael Wiener, Religionsfreiheit auf dem Prüfstand. Konturen eines umkämpften Menschenrechts, Bielefeld 2020, S. 159.

9 Vgl. Auswärtiges Amt: Bericht über die asyl- und abschiebungsrelevante Lage in Iran vom 12.01.2019, Stand: November 2018, Az.: 508-516.80/3 8 IRN, www.bamf.de/SharedDocs/Anlagen/DE/Behoerde/Informationszentrum/Laenderreporte/2019/laenderreport-16-iran.pdf;jsessionid=CA1E997393C41109602667E23843AA48.internet531?__blob=publicationFile&v=6 (abgerufen am 2.7.2021).

10 Vgl. Jörg Winterbauer, »Polen will nur christliche Flüchtlinge aufnehmen«, in: WELT am 25.06.2015, abrufbar unter: https://www.welt.de/politik/ausland/article143093749/Polen-will-nur-christliche-Fluechtlinge-aufnehmen.html

11 Vgl. Heiner Bielefeldt, Michael Wiener, Religionsfreiheit auf dem Prüfstand. Konturen eines umkämpften Menschenrechts, Bielefeld 2020, S. 215.

12 www.vatican.va/content/francesco/de/travels/2019/outside/documents/papa-francesco_20190204_documento-fratellanza-umana.html (abgerufen am 2.7.2021).

13 Vgl. Heiner Bielefeldt, Michael Wiener, Religionsfreiheit auf dem Prüfstand. Konturen eines umkämpften Menschenrechts, Bielefeld 2020, S. 220.

»Was fest gefügt und unveränderlich scheint, das kann sich ändern.« Im Dienst für eine freie Welt (Annalena Baerbock)

1 https://www.bundesregierung.de/breg-de/aktuelles/kanzlerin-merkel-mit-ehren-victoria-gewuerdigt-1546310 (abgerufen am 2.7.2021).

2 Regierungserklärung von Bundeskanzlerin Dr. Angela Merkel vor dem Deutschen Bundestag am 30. November 2005 in Berlin, www.bundesregierung.de/breg-de/service/bulletin/regierungserklaerung-von-bundeskanzlerin-dr-Angela-Merkel-795782 (abgerufen am 2.7.2021).

3 https://www.bundesregierung.de/breg-de/suche/tag-des-grundgesetzes-1754788 (abgerufen am 2.7.2021).

4 Rede von Bundeskanzlerin Merkel bei der 368. Graduationsfeier der Harvard University am 30. Mai 2019 in Cambridge/USA, www.bundeskanzlerin.de/bkin-de/aktuelles/rede-von-bundeskanzlerin-Merkel-bei-der-368-graduationsfeier-der-harvard-university-am-30-mai-2019-in-cambridge-usa-1633384 (abgerufen am 2.7.2021).

5 U. a.: https://www.independent.co.uk/voices/angela-merkel-donald-trump-democracy-freedom-press-a7556986.html (abgerufen am 2.7.2021).

6 Siehe Bericht der Vorsitzenden der CDU Deutschlands, Bundeskanzlerin Dr. Angela Merkel, auf dem 31. Parteitag. 7. Oktober 2019; https://archiv.cdu.de/system/tdf/media/dokumente/181207-bericht-der-vorsitzenden-der-cdu-deutschlands.pdf (abgerufen am 2.7.2021).

7 https://www.bundestag.de/abgeordnete/biografien/mdb_zahlen_19/frauen_maenner-529508 (abgerufen am 2.7.2021).

8 https://de.wikipedia.org/wiki/Liste_von_Ländern_nach_dem_Frauenanteil_im_Landesparlament (abgerufen am 2.7.2021).

9   https://de.statista.com/statistik/daten/studie/3261/umfrage/gender-pay-gap-in-deutschland/ (abgerufen am 2.7.2021).

10 Torsten Körner, In der Männer-Republik. Wie Frauen die Politik eroberten, Köln 2020, S. 46–48.

11 Aus Thomas Brechenmacher, Die CDU unter Angela Merkel (2000–2018), in: Norbert Lammert (Hg.): Christlich-Demokratische Union. Beiträge und Positionen zur Geschichte der CDU, München 2020, S. 81–135, hier S. 83.

12 Vgl. Torsten Körner, a. a. O., S. 275 f.

13 Interview im Spiegel 14/2020 vom 27.3.2020.

14 Vgl. Torsten Körner, a. a. O. , S. 20.

15 Marina Kormbaki: https://twitter.com/m_kormbaki/status/1151820796635074560?lang=de (abgerufen am 2.7.2021).

16 Rede von Bundeskanzlerin Merkel bei der 368. Graduationsfeier der Harvard University am 30. Mai 2019.

Freie Wissenschaft – informierte Politik – aufgeklärte Öffentlichkeit (Jörg Hacker)

1   Angela Merkel, Rede der Bundekanzlerin, in: Jörg Hacker (Hrsg.), Jahrbuch 2011 der Nationalen Akademie der Wissenschaften Leopoldina, Halle (Saale) 2012, S. 363–367, hier S. 365.

2   Siehe Anja Schubert, Sarah Bayer, Globale öffentliche Güter (Wissenschaftlicher Dienst des Deutschen Bundestages, Aktueller Begriff Nr. 10/10), Berlin 2010.

3   Siehe Scientific Advisory Board, The Future of Scientific Advice to the United Nations. A Summary Report to the Secretary-General of the United Nations, Paris 2016.

4   Siehe hierzu die Pressemitteilung der Leopoldina, Leopoldina am 15. und 16. März 2007 Gastgeber beim Treffen der nationalen Akademien der G8-Staaten, 7.3.2007, www.leopoldina.org/presse-1/pressemitteilungen/pressemitteilung/press/237/ (abgerufen am 16.4.2021).

5   Siehe Akademie der Wissenschaften in Hamburg/Nationale Akademie der Wissenschaften Leopoldina, Antibiotika-Forschung. Probleme und Perspektiven, Berlin 2013.

6   Siehe G7 Science Academies, Infectious Diseases and Antimicrobial Resistance. Threats and Necessary Actions, April 2015, www.leopoldina.org/uploads/tx_leopublication/2015_G7_Statement_Infectious_Diseases.pdf (abgerufen am 16.4.2021).

7   Science 20 Dialogue, Improving Global Health. Strategies and Tools to Combat Communicable and Non-Communicable Diseases, 2017, www.leopoldina.org/uploads/tx_leopublication/2017_03_22_Statement_S20.pdf (abgerufen am 16.4.2021).

8   Für weitere Informationen zur Allianz-Kampagne siehe https://wissenschaftsfreiheit.de/ (abgerufen am 23.4.2021).

9   Hendrik Hoppenstedt, Ansprache, in: Diethard Tautz (Hrsg.), Festliche Übergabe des Präsidentenamtes vom XXVI. Präsidenten Jörg Hacker an den XXVII. Präsidenten Gerald Haug am 20. Februar 2020 (Nova Acta Leopoldina N.F. Supplementum Bd. 39), Halle (Saale) und Stuttgart 2020, S. 23–28, hier S. 25 f.

10 Siehe für weitere Informationen www.acatech.de/projekt/innovationsdialog-zwischen-bundesregierung-wirtschaft-und-wissenschaft/ (abgerufen am 23.4.2021).

11 Siehe für umfassende Informationen https://forschungsgipfel.de/ (abgerufen am 23.4.2021).

12 Alle Stellungnahmen der Leopoldina sind unter www.leopoldina.org/publikationen/stellungnahmen/stellungnahmen/ kostenfrei zugänglich (abgerufen am 23.4.2021).

13 Horst Köhler, »Ein gastlicher Ort für den freien Geist«. Grußwort beim Festakt zur Ernennung der Deutschen Akademie für Naturforscher Leopoldina zur Nationalen Akademie der Wissenschaften am 14. Juni 2008 in Halle (Saale), S. 1, www.bundespraesident.de/SharedDocs/Reden/DE/Horst-Koehler/Reden/2008/07/20080714_Rede_Anlage.pdf?__blob=publicationFile&v=3 (abgerufen am 23.4.2021).

14 Alle Ad-hoc-Stellungnahmen sind über die Website herunterladbar (abgerufen am 25.4.2021).

15 Siehe Gerald Haug, Rede des neuen Präsidenten, in: Tautz (Hrsg.), Festliche Übergabe des Präsidentenamtes, S. 29–35.

16 Der Verfasser dankt Herrn Dr. Stefan Artmann, Leiter des Präsidialbüros der Leopoldina, für die Mitarbeit an diesem Artikel.

Versöhnung! Was es braucht, um anderen und nicht sich selbst zu dienen (Marianne Birthler)

1   Institut für Demoskopie Allensbach, Monatsbericht vom 23. Oktober 2020.

Die hohe Kunst der Differenzierung. Über evangelische Theologie, Politik und eine Virtuosin der Unterscheidung (Christoph Markschies)

1   In Dresden, Chemnitz und Leipzig wurde beispielsweise gefordert, die neue Partei solle paritätisch von Beauftragten des evangelischen und katholischen Volksteils geführt werden. Man könnte angesichts der Gründungsumstände nicht nur von einem ökumenischen, sondern einem kirchlich-ökumenischen Projekt sprechen: Ralf Baus, Die Gründung der Christlich-Demokratischen Union Deutschlands in Sachsen 1945, in: Historisch-politische Mitteilungen 2 (1995), S. 83–117, hier S. 84. Vgl. auch ders., Die Christlich-Demokratische Union Deutschlands in der sowjetisch besetzten Zone 1945 bis 1948. Gründung – Programm – Politik, Düsseldorf 2001.

2   Anne Martin, Die französische Besatzungspolitik und die Gründung der CDU in Rheinland-Pfalz, in: Historisch-politische Mitteilungen 2 (1995), S. 131–148, hier S. 135.

3   Dafür wären ja auch erst einmal die Selbstauskünfte zum Thema einschlägig, vgl. z. B. Angela Merkel, Geleitwort, in: Hans-Gert Pöttering (Hrsg.), Damit ihr Hoffnung habt. Politik im Zeichen des »C«, Sankt Augustin/Berlin 2010, S. 9 f., hier S. 10: »Unser gemeinsamer Glaube gibt uns Kraft und Orientierung, er motiviert und verpflichtet uns aber gleichermaßen dazu, diese Hoffnungsperspektive nicht nur unter uns lebendig zu erhalten, sondern auch an unsere Nächsten weiterzugeben.«

4   Für diese Differenzierung vgl. Christoph Markschies, Christentumsgeschichte theologisch. Geschichte, Gegenwart und Zukunft einer akademischen Disziplin (Veröffentlichungen der Papst-Benedikt XVI.-Gastprofessur), Freiburg i. Br. 2022.

5   Michael Klein, Der westdeutsche Protestantismus und die CDU bis zum Ende der Ära Adenauer, Historisch-politische Mitteilungen 14 (2007), S. 79–97, hier S. 79; vgl. auch ders., Westdeutscher Protestantismus und politische Parteien. Anti-Parteien-Mentalität und parteipolitisches Engagement von 1945 bis 1963 (Beiträge zur Historischen Theologie 129), Tübingen 2005, S. 92. Heinrich Grüber (1891–1975), Mitbegründer der Berliner CDU, distanzierte sich in seinen Memoiren von 1968 von seiner Mitwirkung und machte für das Adjektiv »christlich« im Parteinamen »die katholischen Freunde« verantwortlich: Heinrich Grüber, Erinnerungen aus sieben Jahrzehnten, Köln/Berlin 1968, S. 244–250.

6   Baus, Die Gründung der Christlich-demokratischen Union Deutschlands in Sachsen 1945, S. 116.

7 Thomas de Maizière, Christliches Bekenntnis und Politik, in: Damit ihr Hoffnung habt. Politik im Zeichen des »C«, S. 43–48, hier S. 46.

8 Ich verzichte an dieser Stelle darauf, verschiedene Bedeutungen von »Differenz« in der politikwissenschaftlichen Theoriebildung nachzuweisen, und füge nur einige Literaturhinweise hinzu: Thomas Bedorf, Das Politische und die Politik. Konturen einer Differenz, in: ders., Kurt Röttgers (Hrsg.), Das Politische und die Politik, Berlin 2010, S. 13–37; Oliver Marchart, Die politische Differenz. Zum Denken des Politischen bei Nancy, Lefort, Badiou, Laclau und Agamben, Berlin 2010; Martin Blobel, Differenz, Kultur und Politik bei Clifford Geertz, in: Hartmut Behr, Siegmar Schmidt (Hrsg.), Multikulturelle Demokratien im Vergleich. Institutionen als Regulativ kultureller Vielfalt?, Wiesbaden 2001, S. 55–74; zur fundamentalen Differenzierung von »Recht« und »Politik« Niklas Luhmann, Verfassung als evolutionäre Errungenschaft, in: Rechtshistorisches Journal 9 (1990), S. 176–204.

9 Gerhard Ebeling, Das rechte Unterscheiden. Luthers Anleitung zu theologischer Urteilskraft, in: Zeitschrift für Theologie und Kirche 85 (1988), S. 219–258; zu Ebeling vgl. Albrecht Beutel, Gerhard Ebeling. Eine Biographie, Tübingen 2012, passim; Gerhard Ebeling, Mein theologischer Weg, in: Hermeneutische Blätter, Sonderheft Oktober 2006 (als Manuskript gedruckt), S. 5–30.

10 Martin Luther, 1. Psalmenvorlesung 1513/1515 (WA 55/1/1, 4,25–27: In Scripturis Sanctis Optimum est Spiritum a litera discernere, hoc enim facit vero theologum. Et a spiritu sancto hoc tantum habet Ecclesia et non ex humano sensu. Ebeling erläutert im genannten Aufsatz die Genese dieser Theologie der Unterscheidungen: ders., Das rechte Unterscheiden. Luthers Anleitung zu theologischer Urteilskraft, S. 240–253.

11 Zu Ebelings lebenslanger Beschäftigung mit den Schriftsinnen bei Luther vgl. Christoph Markschies, Sehnsucht nach Eindeutigkeit: Chancen und Gefahren einer Hermeneutik nach dem »Ende der Postmoderne«, in: Andreas Kablitz, Christoph Markschies und Peter Strohschneider (Hrsg.), Hermeneutik unter Verdacht (Text und Textlichkeit 2), Berlin/Boston 2021, S. 165–198, hier S. 169–178.

12 Vgl. zum Umgang Luthers mit dem Alten Testament Christoph Markschies, »und wenn wyr gleych hoch uns ruhmen, so sind wyr dennoch heyden« – Erfahrungen der Widerständigkeit und Fremdheit in den Epochen christlicher Auslegung des Alten Testamentes, BThZ 14 (1997), S. 33–58, bes. S. 41–49.

13 Martin Luther, 3. Antinomer-Disputation 1538 (WA 39/1, 552,10–13: Quare iusto non est lex posita, id est, in quantum iustus. Lex itaque posita est et non posita. In quantum iustus, sublata est lex, in quantum peccatores, manet lex. Haec qui bene novit distinguere, bonus est theologus.

14 Ebeling, Das rechte Unterscheiden. Luthers Anleitung zu theologischer Urteilskraft, S. 219.

15 Herbert M. Nobis, Art. Definition I., in: Historisches Wörterbuch der Philosophie, Bd. 2, Darmstadt 1972, Sp. 31–35, hier Sp. 31 f.

16 Ulrich Köpf, Martin Luthers theologischer Lehrstuhl, in: Irene Dingel, Günther Wartenberg (Hrsg.), Die Theologische Fakultät Wittenberg 1502 bis 1602. Beiträge zur 500. Wiederkehr des Gründungsjahres der Leucorea (Leucorea-Studien zur Geschichte der Reformation und der Lutherischen Orthodoxie 5), Leipzig 2002, S. 71–86.

17 Eine knappe Übersicht über dieses Thema: Christoph Markschies, Lutero cattolico [Lectio magistralis anlässlich der Verleihung des Doktors der katholischen Theologie ehrenhalber an der Lateran-Universität in Rom; 10.2.2017], il Regno 6/2017, S. 175–185.

18 Das geschieht vielleicht am virtuosesten bei Kurt Flasch, Die Alte Kirche als Geschichtspotenz Europas, in: Friedrich Wilhelm Graf, Klaus Wiegandt (Hrsg.), Die Anfänge des Christentums (Forum Verantwortung), Frankfurt am Main 2009, S. 472–501 und ders., Warum ich kein Christ bin. Bericht und Argumentation, München 2013, bes. S. 83–108.

19 Man müsste sich dann auch mit der These von Ebeling auseinandersetzen, dass alle Unterscheidungen Luthers in einer einzigen Fundamentaldifferenz gründen, der von Gesetz und Evangelium: ders., Das rechte Unterscheiden. Luthers Anleitung zu theologischer Urteilskraft, S. 253–258.

20 An dieser Stelle wäre nun ausführlich von der sogenannten Zwei-Reiche-Lehre zu handeln; hier müssen allerdings zwei Literaturhinweise genügen: Johannes van Oort, Jerusalem and Babylon. A Study of Augustine's City of God and the Sources of his Doctrine of the Two Cities (Supplements to Vigiliae Christianae 14), Leiden/Boston 2013 sowie Niels Hasselmann (Hrsg.), Gottes Wirken in seiner Welt. Zur Diskussion um die Zweireichelehre, 2 Bde. (Zur Sache 19/20), Hamburg 1980.

21 Dazu jetzt knapp: Die Bedeutung der Bibel für kirchenleitende Entscheidungen. Ein Grundlagentext des Rates der Evangelischen Kirche in Deutschland, Leipzig 2021 (dieser Text wurde durch die Kammer für Theologie der EKD erarbeitet, die ich in den Jahren 2010 bis 2021 als Vorsitzender geleitet habe).

22 Vgl. dazu nur Hans Michael Heinig, Säkularer Staat – viele Religionen. Religionspolitische Herausforderungen der Gegenwart, Hamburg 2018.

23 Bekanntlich heißt der Teufel lateinisch diabolus, was wörtlich aus dem Griechischen übertragen »der Durcheinanderwerfer« heißt. Diese Grundbedeutung war freilich beispielsweise einem Augustinus gar nicht mehr deutlich, er übersetzte ins Lateinische mit »Ankläger«: Cinzia Bianchi, Christof Müller, Art. Diabolus, in: Augustinus-Lexikon, Vol. 2, Basel 1996–2002, S. 381–396, hier 383 f. (mit Belegen).

Nähe, Ferne und Plötzlichkeit. Angela Merkels politische Kunst bildphilosophisch gesehen (Horst Bredekamp)

1 Die Zitate sind ausgewiesen in: Horst Bredekamp, Die Erkenntniskraft der Plötzlichkeit. Hogrebes Szenenblick und die Tradition des Coup d'Oeil, in: Joachim Bromand, Guido Kreis (Hrsg.), Was sich nicht sagen läßt. Das Nicht-Begriffliche in Wissenschaft, Kunst und Religion, Berlin 2010, S. 455–468.

2 Diese Diskussionen sind in den Aufsatz geflossen: Horst Bredekamp, Souverän ist, wer mit den Bildern entscheidet, in: Grit Straßenberger, Felix Wassermann (Hrsg.), Staatserzählungen. Die Deutschen und ihre politische Ordnung, Berlin 2018, S. 127–148.